SOMMAIRE

ÉDITORIAL

Voir le jour

Vouloir, attendre, désirer un enfant... Oui, mais quel enfant? L'enfant de ses rêves, insaisissable et obsédant, qui jamais ne naîtra, mais jamais ne mourra. Cet "alter ego" idéal réparateur, merveilleux, qui concentre en lui tous les espoirs, panse toutes les plaies, maintient l'aptitude à vivre de tout un chacun?

L'enfant-reflet? Ce bébé retouché par Narcisse destiné à être troublé, estompé, mais jamais tout-à-fait effacé par la venue de l'enfant-réel? Ce bébé réel, cet étranger, cet "alter in ego", cet avatar de "l'enfantôme" qui nous hantait, ne cessons-nous pas de lui reprocher sa trahison de l'idéal dont nous l'avions auréolé? À mots couverts, derrière les mots "doux": "petit chou, ma face de pet, ma fourmi, mon crapaud, ma crotte d'amour", la liste est longue. C'est pourtant lui qui nous dévisage de ses yeux d'halluciné, c'est elle qui nous considère de ses sourcils froncés ou épanouis... Qui vous réveille la nuit, vous inquiète en ne dormant pas, en dormant trop longtemps, en pleurant trop, en pleurant trop peu, qui prend possession de votre vie avec le sans-gêne de celui qu'on a invité avec insistance, mais qui n'a de cesse de vous rappeler qu'il n'a jamais rien demandé.

Mais le temps qui passe façonne aussi l'image du bébé. La ribambelle de marmots se pressant autour d'une mère toujours enceinte ne fait plus le bonheur que des téléromans à succès. Aujourd'hui, l'époque est au bébé-trésor, au bébé précieux, rare, souvent unique. Contraception, avortement, conjoncture économique, ont pavé la voie du "contrôle" de la famille. Les couples qui ont leur bébé au moment voulu sont bénis du ciel. Deux, surtout s'ils font le couple, c'est le choix du roi! À partir de trois, c'est déjà une affaire d'état avec subventions pour contribution émérite à la démographie!

Cette plus-value que notre mode de vie a conférée aux bébés a déterminé le développement extraordinaire de la "bébélogie" et marqué de façon indélébile toutes les sciences et pseudo-sciences qui s'y intéressent. Jamais les humains n'en auront su autant sur leurs rejetons. Et pourtant, parions que rarement les parents n'auront été aussi désemparés devant ce petit être qui émane d'eux. Ayant rejeté les modèles désuets de leurs propres parents, ils sont déstabilisés au coeur d'une image du couple et de la famille en pleine mutation et cherchent désespérément des repères qui puissent coller à leur réalité.

On ne manque d'ailleurs pas de leur en proposer une multitude. On les scrute, on les score, on les étudie avec un soin inouï, eux et leur bébé, pour leur révéler qu'ils ont donné naissance à un bébé-prodige. La notion d'un "tube digestif" tout juste capable de grimacer et de crier a fait place à celle d'un "nourrisson savant", doté de facultés insoupçonnées, capable de discriminer la voix, l'environnement sonore et les odeurs maternelles, la manière dont elle le porte, de saisir les nuances que l'humeur sculpte sur son visage, etc..

Mais être le parent d'un tel bébé comporte des responsabilités accrues. Si on ne s'y prenait pas de la bonne façon? Si on le traumatisait sans retour par manque de compétences parentales? Vers qui se tourner dans le doute? Où apprend-on à devenir de bons parents?

Malgré la somme formidable de connaissances que nous ont livrées la biologie, la médecine et la psychologie, mettre un enfant au monde demeure un acte nimbé de mystère. Les questions soulevées autour de la naissance évoquent un jeu de miroirs qui, tout en nous renvoyant à l'infini une multitude d'images fugaces du bébé, de la mère, de la famille, garderait pourtant farouchement le coeur du secret.

Nous examinerons, dans ce dossier, quelques-unes de ces images saisies au fil de réflexions théoriques, d'interventions cliniques, de recherches... Nous avons choisi de nous centrer sur les approches et les interventions s'adressant aux parents et aux bébés, conscients que bien d'autres champs de ce vaste domaine mériteraient qu'on s'y arrête.

Un aperçu des aménagements psychologiques mis en oeuvre dans le processus d'enfantement, du travail clinique auprès de femmes enceintes, des questions soulevées par le recours à des techniques de reproduction assistée sauront, nous l'espérons, amorcer un échange avec vous.

Dans l'entrevue passionnante qu'il nous a accordée, le professeur Michel Soulé, un pionnier dans ce domaine, définit avec une acuité remarquable les enjeux découlant des progrès étonnants et troublants accomplis ces dernières années en néonatalogie.

D'autre part, la révision que les découvertes récentes sur le développement psycho-relationnel précoce des nourrissons nous impose dans notre compréhension théorique de la genèse de la personnalité est discutée. L'observation directe des bébés dans leur milieu familial peut aussi servir de support précieux à la formation des psychiatres et autres professionnels de la santé mentale de l'enfant.

L'expérience d'une unité de soins parents-nourrissons illustre comment ce nouveau savoir peut être mis à profit dans des interventions psychothérapiques multi-modales précoces.

Dans le cadre d'une recherche sur la prévention des troubles d'attachement précoces, une équipe nous livre les résultats préliminaires sur le vécu de grossesse. Enfin, nous vous présentons avec plaisir une des rares recherches axées sur des éléments positifs et qui s'attache à étudier les moments heureux partagés par des mères et leurs enfants de zéro à cinq ans.

Le bébé-objet-d'études de 1991 est donc différent de celui du passé. Et sans doute en porte-t-il davantage sur ses frêles épaules. Dédions-lui ce numéro et tâchons de nous inspirer du tout premier regard qu'il pose sur notre monde! Ce regard qui, lui, n'a pas changé -j'en mettrais ma main au feu- depuis qu'il y a des feux pour réchauffer les nouveaux-nés. Ce regard qui transmet si bien le vertige de la naissance...❖

Jean-Pierre PEPIN,

rédacteur en chef

AGENDA SCIENTIFIQUE

18 septembre 1991, 12h00
"Histoire de la folie au Québec - de 1600 à 1850"
André CELLARD, criminologue, Université d'Ottawa
Grand Salon, C.H. Pierre-Janet, Québec
Pour information: Dr N. Carrey, (819) 776-8055

19 septembre 1991, 11h00
La psychose infantile: son diagnostic différentiel et son évolution
Dr Michel LEMAY, pédopsychiatre
Service de Pédopsychiatrie, Pavillon Albert-Prévost, Montréal
Les personnes intéressées à assister à cette présentation de même qu'à celles des mois d'octobre et de novembre au Pavillon Albert-Prévost doivent communiquer avec Mme Aubespin ou le Dr Denis Laurendeau au 338-4325.

20 septembre 1991, 9h00 à 17h00
Colloque **"La motivation, le soi et le Développement de l'enfant aux confluents de la psychanalyse"**
Joseph D. LICHTENBERG, psychanalyste, Washington
Auditorium Pavillon Rosemont, Montréal
Frais d'inscription: $60.00 Etudiants: $40.00
Pour information: Madame Luneau: 252-3914, poste 4762
Organisé par l'Hôpital Maisonneuve-Rosemont et l'Université de Montréal dans le cadre de la Formation Professionnelle continue

27 septembre 1991, 9h30 à 12h00
Carrefour scientifique: **"Les enfants qui s'ennuient". Un programme de sensbilisation pour les parents et les intervenants**
Dr Luc BLANCHET et Dr Pierre H. TREMBLAY
Amphithéâtre J.-L.-Beaubien, Hôp. Ste-Justine, Montréal
Organisé par le Dépt de psychiatrie de l'Hôp. Ste-Justine
Pour information: Mme Marchand - 345-4695, p. 5701.

27 septembre 1991
Colloque d'une journée sur: **"Multiculturalisme et Thérapie Familiale"**
Monica McGOLDRICK, New Jersey.
Ramada Renaissance Hôtel du Parc, Montréal
Présenté par l'Unité de thérapie familiale de l'Institut Allan Memorial et le Dépt de psychiatrie de l'Université McGill
Pour information: 485-0855

2 octobre 1991, 13h30
"Père - mère et langage"
Docteur Colette CHILAND, psychanalyste, Paris
Salle d'Enseignement, C. H. Rivière-des-Prairies, Montréal

3-4 octobre 1991
Colloque **"Ecole et Santé mentale"**
Hôtel Quatre-Saisons, Montréal
Questions traitées: Programmes scolaires, Intégration, Attentes des parents, (Conférenciers invités dont Colette Chiland.
Organisé par l'Hôpital Rivière-des-Prairies
Pour information: Mme Gagnon au 323-7260 poste 2085

13 - 16 octobre 1991
IIe Congrès de l'Association Mondiale pour la Réadaptation Psychosociale (AMRP)
"La réadaptation psychosociale en santé mentale, partenaire et points d'appui"
Centre Sheraton, Montréal
Pour information: (514) 762-3006

16 octobre 1991, 12h00
"Le trouble de panique"
Dr Jacques PLAMONDON
Grand Salon, C.H. Pierre-Janet, Québec
Pour information: Dr N. Carrey (819) 776-8055

17 octobre 1991, 11h00
L'analyse sémiotique de la pratique discursive Pierre BROUILLETTE

suite à la page 137

COMPTE-RENDU

Nicole NADEAU, psychiatre

demi-journée scientifique des cliniques externes

tenue le 22 mars 1991

au Département de psychiatrie de l'Hôpital Sainte-Justine.

“Regard porté sur l'enfant vivant avec un seul parent: que vit-il, que pense-t-il, comment questionne-t-il les cliniciens que nous sommes?”

Il s'agissait pour nous d'une première dans le cadre du Service externe tel qu'il regroupe actuellement les trois équipes pluri-disciplinaires: l'organisation par et pour l'ensemble des professionnels du service d'une demi-journée à caractère scientifique centrée sur une problématique clinique.

Nous avons voulu choisir un thème d'actualité, imprégnant bon nombre de nos consultations, soit celui de l'enfant vivant principalement avec un seul parent (et aussi un parent seul). Ce phénomène social ne constitue pas en soi une psychopathologie; notre réflexion allait donc se porter sur l'impact d'un environnement familial particulier sur le développement affectif de l'enfant.

Nous avons été à même de nous convaincre de la pertinence de ce thème dès le moment où nous avons entrepris quelques recherches.

1. D'abord, en faisant un relevé épidémiologique sommaire de notre clientèle: Nous avons pu constater que dans deux équipes sur trois, on avait un pourcentage très élevé des consultations où l'enfant consultant vivait avec un seul parent. Cette donnée nous a semblé assez marquante puisqu'il est apparu un écart significatif entre le pourcentage de familles monoparentales dans la population générale et le pourcentage de familles monoparentales dans la clientèle consultante.

Par exemple, dans le secteur Outremont/Côte-des-Neiges, on a de 16 à 24% de familles monoparentales dans la population (statistiques du DSC, 1986) alors qu'on a 50% de familles monoparentales dans la clientèle consultante pour ce même secteur géographique.

Ainsi, à première vue, on pourrait poser l'hypothèse d'un lien (facteur de risque) entre monoparentalité et symptômatologie entraînant une consultation pédo-psychiatrique chez l'enfant. Cette hypothèse demande à être vérifiée dans un échantillon mieux défini mais constitue déjà une piste intéressante de recherche.

2. Ensuite, la revue de littérature s'est avérée presque inexistante sur ce thème tel que nous souhaitions l'aborder, c'est-à-dire sous l'angle du vécu psychologique de l'enfant d'un point de vue développemental et psychodynamique.

La situation la plus fréquente en clinique, celle qui semble nous solliciter le plus, concerne le garçon vivant avec sa mère seule et présentant une symptômatologie agressive, associée à de la dépendance et des difficultés relationnelles pouvant aller jusqu'à la tendance anti-sociale.

La fille elle aussi peut être affectée mais il semblerait que pour elle le problème se joue différemment, assez souvent plus tardivement et que la symptômatologie soit moins manifeste et donc entraîne moins souvent une consultation prolongée. Citons à ce propos Colette Chiland: "... pour un fils, le lien au père est absolument fondamental. C'est sa colonne vertébrale. Tout le narcissisme d'un garçon est construit autour d'une identification au père et, s'il a un père dévalorisé, il a beaucoup de mal à se valoriser lui-même. Si la fille a un père clochard et dévalorisé mais si ce père l'a reconnue en tant que fille et l'a aimée en tant que fille, cela n'a pas le même effet." *

Dans tous les cas sur lesquels nous nous sommes penchés, nous avons tenu à ne pas négliger les particularités individuelles et les données psychopathologiques relevant de l'organisation de la personnalité de l'enfant, de sa mère, de son père (plus ou moins éloigné, selon les cas). Tout en tenant compte de ces autres dimensions, nous avons pu faire ressortir les éléments suivants comme étant inhérents à la problématique de l'enfant-garçon vivant avec sa mère seule:

- danger de l'actualisation du fantasme de triomphe oedipien;

- double menace sur l'identité du garçon d'une relation trop intense et exclusive avec la mère et d'une identification à un père déchu, évincé.

Ces dangers entraînent la nécessité du symptôme agressif pour maintenir l'éloignement d'avec la mère et l'intégrité du self.

Nos discussions ont aussi porté sur l'approche thérapeutique de ces cas, interventions d'autant plus délicates que le parent demandeur (et généralement tout l'entourage de l'enfant) souhaite la disparition du symptôme agressif alors que nous constatons la nécessité défensive de ce symptôme pour l'enfant, malgré son impact nocif dans le champ relationnel et social.

Faisant écho au souhait général des participants, le comité organisateur a choisi de poursuivre ses activités au-delà de cette demi-journée dans le but d'approfondir ce thème et d'explorer la possibilité d'établir un projet de recherche clinique ouvert aux trois équipes du Service externe.❖

Les membres du comité organisateur: Céline Boisvert, psychologue, Yvon Forget, psychiatre, Andrée Godin-Roux, psychiatre, Louis Rouleau, orthopédagogue, Louise Rousseau, psychiatre et Lise Sévigny, infirmière.

* Chiland C. **L'enfant, la famille, l'école.** P.U.F., Coll. Le psychologue, 1989.

Chronique Inter-Services

Danielle Laporte,
psychologue

Nicole Gendron,
thérapeute en
psychomotricité

DÉPISTER ET TRAITER EN PREMIÈRE LIGNE LES TROUBLES PRÉCOCES D'ATTACHEMENT

Evaluation d'un programme de formation auprès d'intervenants en périnatalité

Johanne BOURASSA

Mme Johanne **Bourassa** a obtenu un baccalauréat en sciences infirmières et fait par la suite des études en psychologie. Elle a beaucoup travaillé à mettre en place des programmes de formation destinés aux intervenants en périnatalité.

En créant les CLSC, le gouvernement québécois a voulu décentraliser les services de première ligne et mettre l'accent sur la prévention et l'intervention à court terme basées sur des programmes spécifiques. Les DSC des centres hospitaliers ont la vocation de bâtir ces programmes et d'aider les CLSC à les appliquer. Mme **Johanne Bourassa**, du DSC du C.H.U.L. à Québec, nous fait part ici d'une recherche sur l'impact de l'approche psychodynamique auprès de mères à risque de problèmes d'attachement.

Il n'est pas habituel, en psychiatrie, de chercher à mesurer les effets de nos interventions. Si le présent texte pouvait nous inciter à le faire et, pourquoi pas, à collaborer plus étroitement avec les intervenants de première ligne, ce serait certainement un pas en avant vers l'intégration plus harmonieuse de toutes les ressources susceptibles de dépister et de traiter les troubles précoces de la relation parents-enfant et d'éviter ainsi l'apparition de pathologies lourdes parfois difficiles à traiter par la suite. **D.L., N.G.**

Les problèmes de santé auxquels sont confrontés les intervenants de périnatalité comportent fréquemment des dimensions affectives et sociales qui sont très souvent à l'origine de difficultés au niveau de la relation parent-enfant. Peu de professionnels sont préparés à faire face à ces problèmes. Face à une mère dépassée par les événements et incapable de retirer quoi que ce soit du support et des conseils, de nombreux intervenants vivent de l'inquiétude, de l'impuissance, du ressentiment même. Plusieurs d'entre eux ressentent des difficultés à mieux cerner la cause des problèmes et à établir une communication profonde avec les parents.

En septembre 1985, le DSC du C.H.U.L. offrait aux intervenants en périnatalité des CLSC de son territoire un programme pilote de formation au dépistage précoce et à l'intervention auprès des familles dites à risque de problèmes d'attachement. A partir du Borgess Interaction Assessment Screener (BIA) conçu par une équipe de chercheurs du Michigan, une grille de dépistage pour le pré et postnatal fut développée et proposée aux intervenants. Dans un contexte de supervision de groupe, à partir des cas habituels, un psychiatre analyste initia des intervenants à l'évaluation psychique ainsi qu'aux rudiments de la relation transférentielle et contre-transférentielle utilisée dans l'approche analytique de type psycho-dynamique.

Après un premier dépistage, les intervenants évaluaient ensuite plus à fond l'état psychique du parent en termes de difficultés actuelles ou potentielles. Dans les cas où les capacités du parent étaient freinées ou inhibées en raison de difficultés émotionnelles, l'approche analytique était offerte comme forme d'aide. Dans un contexte de thérapie relativement brève, les intervenants aidaient le parent à liquider les problèmes nuisant à la qualité de son parentage. Les rencontres s'effectuaient à domicile la plupart du temps, à raison d'une heure chaque semaine. A partir du verbatim de leur rencontre avec le parent, les intervenants apprenaient lors des supervisions à décoder et à interpréter les messages qui leur avaient été transmis et à y réagir de façon thérapeutique.

Prévue pour durer neuf mois à raison d'une demi-journée par semaine, l'intégration des concepts nécessita une seconde année de formation, soit 18 mois. Le DSC évalua dans un premier temps l'impact de cette formation sur la pratique des intervenants. En janvier 1988, grâce à une subvention de recherche du FRSQ, il fut possible d'évaluer selon un devis expérimental de type post-test avec groupe témoin la valeur de l'outil de dépistage et de l'intervention psychodynamique comme moyen de résoudre les problèmes d'attachement parent-enfant dès la grossesse.

Ce programme expérimental se fonde sur les nombreuses recherches qui ont eu lieu dans le domaine de l'enfance depuis les années '50. L'attachement parent-enfant, ce lien si profond qui se développe progressivement entre l'enfant et ses parents, y apparaît comme la variable la plus déterminante pour le développement de l'enfant et la qualité du parentage. Son établissement implique de la part des adultes qui s'occupent de l'enfant une disponibilité physique et une capacité d'engagement émotionnel à long terme envers lui. Ce processus qui constitue la base même de notre devenir humain passe par le "devenir parent" (parenthood), cet état d'esprit particulier qui incite les parents à répondre aux besoins de l'enfant.

L'approche psychodynamique comme forme d'aide

Considérant les besoins spécifiques de chaque famille, plusieurs formes d'aide peuvent être nécessaires. Cependant, la plupart des difficultés importantes observées dans les interactions parents-enfant résultent davantage de conflits émotionnels que d'un manque de connaissances.

Il n'est pas opportun ici de justifier l'intérêt de l'approche psychodynamique. Qu'il soit simplement souligné que l'utilisation de cette approche dans un contexte de visites à domicile en pré et postnatal a été initiée principalement par l'analyste Selma Fraiberg en 1972 au Michigan. Fraiberg implanta à l'Université du Michigan un programme de formation à l'intention de professionnels provenant de diverses disciplines. Ce programme s'étendit à d'autres universités. Ces premières initiatives auprès de familles en difficulté contribuèrent beaucoup à accroître les connaissances et permirent le développement de programmes de prévention en santé mentale auprès des familles. Il apparut vite évident que la diffusion de ces programmes devait impliquer la formation d'intervenants ayant accès aux familles durant la période péri- natale.

Au Québec, relativement peu d'intervenants sont en mesure d'effectuer une évaluation considérant tant les aspects affectifs que socio-économiques. Peu d'entre eux aussi sont familiers avec les approches thérapeutiques. La formation d'intervenants dans le contexte des CLSC apparaissait favorable, compte tenu de la place qu'y occupe déjà la périnatalité ainsi que la possibilité d'y combiner différentes formes d'aide.

Impact de la formation à l'approche psychodynamique

Le programme de formation a rejoint 34 intervenants constitués en groupe de 6 à 8 personnes (17 infirmières, 9 médecins, 6 praticiens sociaux, 2 sages-femmes). Six personnes ont abandonné après neuf mois de formation dont trois à cause de difficultés à intégrer ce type de formation dans leur pratique.

Voir les difficultés parent-enfant dans la perspective psycho-dynamique suscite une remise en question d'attitudes et de comportements souvent bien établis. Apprendre, par exemple, à établir le contact avec le parent sans chercher à répondre à sa propre insécurité et à celle du parent par des échanges d'information ou encore en dirigeant la conversation, n'est pas chose facile. Cette façon de faire contribue aussi à remettre les intervenants en contact avec leur vécu personnel. Plusieurs d'entre eux ont avoué avoir vécu dans les premiers mois beaucoup d'insécurité et d'angoisse.

La majorité cependant a pu intégrer cette approche à sa pratique. Bien que le niveau d'habileté développée varie d'une personne à l'autre, dès la première année de formation, de nombreuses infirmières notamment, pouvaient assurer elles-mêmes le suivi de plusieurs familles à risque vivant des problèmes multiples. Ces familles étant de plus en plus nombreuses dans le contexte actuel, la plupart des intervenants ressentait après la formation le besoin d'une continuité de supervision, d'une part pour s'appuyer sur une expertise reconnue et d'autre part, pour maintenir leur motivation. Comme plusieurs des spécialistes de cette approche (analystes, psychologues, psychiatres, etc.) se retrouvent en clinique privé et en centre hospitalier, le développement de ce type de programme impliquerait une plus grande implication de ces experts dans les équipes de prévention en périnatalité.

L'efficacité de l'intervention psychodynamique appliquée par des infirmières préalablement formées a pu être démontrée comme moyen de prévention dès la période prénatale. Des femmes enceintes fréquentant une clinique privée étaient soumises au dépistage lors de leur première consultation. Un suivi thérapeutique à domicile était ensuite offert aux femmes "à risque" du groupe expérimental. Elles ont reçu en moyenne 16 entrevues, ce nombre variant de 4 à 23. Des mesures d'évaluation ont été effectuées à l'aveugle trois semaines et six semaines après l'accouchement par une infirmière indépendante de l'équipe d'intervention. Le niveau d'attachement a été mesuré à l'aide de l'échelle de comportement maternel de Clarke-Stewart, le "Maternal Behaviour Scale".

Les résultats démontrent l'efficacité de l'intervention auprès des femmes vivant des situations difficiles reliées soit à leur condition socio-économique, soit à leur désir de grossesse ou à une anxiété excessive face au travail et à l'accouchement. En effet, trois semaines après l'accouchement, on retrouve dans le groupe témoin 75% de femmes présentant un bas niveau d'attachement, comparativement à 39% dans le groupe expérimental. La mesure faite à six mois montre la persistance de ces mêmes résultats.

Le dépistage et l'intervention en prénatal n'éliminent cependant pas la nécessité de poursuivre ceux-ci en postnatal. Certaines femmes déjà à risque dès la grossesse auraient bénéficié d'une continuité de suivi après la naissance. Pour d'autres, les problèmes surgiront après la naissance. Pour les fins de la recherche, l'intervention devait se restreindre à cette période postnatale. Dans le contexte habituel de la pratique en CLSC cependant, l'infirmière aurait pu assurer cette continuité du pré- au postnatal. Elle aurait pu également compter sur d'autres ressources, en particulier lorsque les problèmes sont multiples.

En ce qui concerne le dépistage, la valeur fortement prédictive de certains indices plus facile à cerner que d'autres devrait permettre de concevoir un outil plus rapide d'utilisation que la grille actuelle. Ceci pourrait contribuer à faciliter l'identification et la référence des femmes à risque vers les ressources adéquates lors du suivi de grossesse.

Conclusion

La valeur de l'approche psychodynamique comme moyen de prévention des problèmes d'attachement a pu être démontrée de façon objective. Son intégration chez des intervenants de première ligne a suscité des changements importants sur les plans professionnel et inter-professionnel. Le mode de pratique des infirmières principalement s'en est trouvé considérablement modifié. Ces changements n'ont pas eu cependant que des effets heureux:

- Certains intervenants se sont dits incapables d'assimiler les caractéristiques propres à ce type d'intervention, d'autres ont avoué un désaccord avec cette philosophie. Cette situation a eu des impacts négatifs dans certaines équipes de travail en provoquant l'éloignement, parfois même, des conflits entre professionnels.

- Sur le plan inter-professionnel, certaines réactions négatives ont été observées. Ces réactions provenaient principalement de certains praticiens sociaux et portaient sur deux éléments, soit l'envahissement du champ de pratique et les divergences quant aux principes d'intervention.

- L'identification précoce et l'intervention auprès des familles en difficulté augmentent le nombre de dossiers actifs à la période périnatale. Ceci peut impliquer sur le plan administratif un réajustement des ressources, voire même une redéfinition des choix de clientèles à prioriser.

Ces barrières personnelles et professionnelles quoique importantes ne sont cependant pas infranchissables. Tout changement dans les rôles professionnels suscite des inquiétudes. Il y a à peine quelques années, peu de spécialistes en santé mentale se seraient montrés disponibles à guider les intervenants de première ligne dans leurs contacts auprès des parents. Plusieurs sont maintenant convaincus de la pertinence de ce nouveau rôle.

En dépit des problèmes soulevés, de plus en plus d'administrateurs de CLSC souhaitent la poursuite de cette formation. Un CLSC a engagé depuis une psychologue pour former son nouveau personnel récemment annexé et d'autres CLSC de la province sont sur le point d'entreprendre des démarches similaires. Du côté des infirmières, leur enthousiasme a eu un effet d'entraînement; elles sont de plus en plus nombreuses à exercer et à vouloir exercer ce rôle plus élargi. Les exemples de collaboration et de support inter-disciplinaires commencent à s'observer de plus en plus, ce qui s'avère prometteur pour l'avenir. Enfin, nous espérons que la démonstration rigoureuse de la valeur des moyens préventifs puisse constituer une base d'échanges pour la complémentarité des rôles entre les différents intervenants.❖

Jan van Eyck, vers1450, **Arnolfini et sa femme**

Quatre infirmières des CLSC de Sainte-Foy et Laurentien à Québec ont bien voulu nous expliquer en quoi cette formation avait changé leur pratique.

Avec leur formation initiale, ces infirmières ont reçu quatre années de supervision autour de cas difficiles. Actuellement encore, quand un suivi est problématique, elles ont recours à des discussions de cas avec un superviseur ou entre collègues, selon les budgets disponibles.

C'est dans le cadre d'un appel automatique à toutes les nouvelles mères que se fait le dépistage des femmes en difficultés d'attachement mère-enfant; cet appel sera suivi d'une visite à domicile, si la mère le demande ou selon les doutes de l'infirmière. L'attention de l'intervenante est alors centrée sur la mère et son contact avec le bébé. Il s'agit d'abord d'établir un lien de confiance avec cette mère parfois réticente. Par la suite, les infirmières établissent un contrat de visites pouvant varier du court terme (4 rencontres) au moyen terme (12 - 20 rencontres).

Dans un CLSC, la coordonnatrice du programme ne permet que trois suivis à la fois, étant donné l'investissement en temps et en énergie que cette approche requiert. Il peut arriver qu'un suivi se prolonge durant une année, si le besoin s'en fait sentir.

Les mères sont en général très réceptives à cette approche, en autant que l'on respecte leurs résistances et leur rythme. Quant aux intervenantes, elles sont unanimes à dire que cette opportunité de formation a été très heureuse dans leur pratique, qu'elle leur a permis une croissance personnelle et changé leur façon d'intervenir même pour donner un simple vaccin. "Cette approche est un défi qui rend notre travail plus intéressant, plus exigeant aussi, et pour cette raison, nous avons besoin d'un autre regard pour nous aider lorsque les manifestations contre-transférentielles se font trop envahissantes." Au départ, leur superviseur formateur était un psychiatre psychanalyste; actuellement, un psychologue consultant donne de la supervision à la demande.

Lorsque le problème de la mère leur semble trop complexe, elles réfèrent en général le cas au médecin omnipraticien qui devra juger de la pertinence d'une référence en psychiatrie. L'intervention précoce a cependant réduit la fréquence de ces références.

Les intervenantes que nous avons contactées semblaient habiles à déjouer les pièges inévitables du transfert et du contre-transfert, tout en restant bien conscientes des limites de leurs interventions et de leur besoin d'échanger régulièrement entre elles ou avec un professionnel à propos de leur vécu thérapeutique. Elles avaient aussi et surtout le sentiment intime de pouvoir faire un meilleur travail de prévention des problèmes d'attachement parent-enfant. **D.L., N.G.**

cahier scientifique

AUTOUR DE LA NAISSANCE

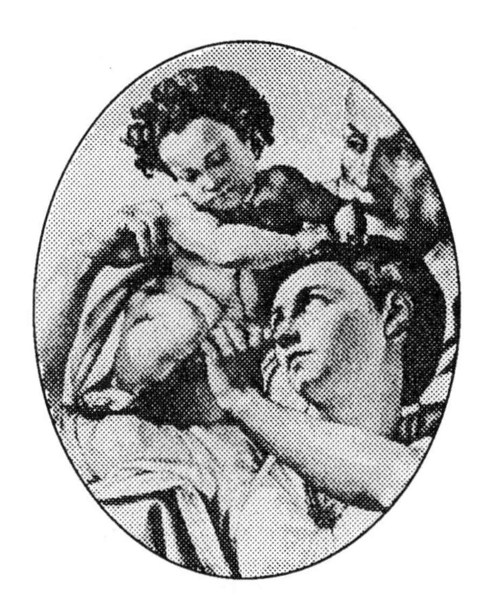

Michelangelo, 1504, Doni Tondo

Hommage

Au seuil de ce dossier, nous tenons à rendre hommage au Dr ***Gilles Lortie*** *dont le travail de pionnier dans le domaine de la consultation psychiatrique en obstétrique a guidé et inspiré une bonne partie des auteurs du présent numéro. Depuis près de 20 ans, ses efforts pour adapter les cadres classiques de l'approche psychanalytique à la réalité particulière de la maternité offrent aux femmes, aux mères, aux couples en besoin d'aide et aux professionnels qui les soignent, des modalités thérapeutiques innovatrices et trop longtemps négligées.*

P.R.I.S.M.E. automne 1991, vol. 2, no 1

LES ENJEUX PSYCHO-AFFECTIFS DE LA GROSSESSE

Jean-Pierre PEPIN

L'auteur est psychiatre consultant au service d'obstétrique et responsable clinique de la section Maternelle des Soins de Jour psychiatriques de l'hôpital Sainte-Justine de Montréal.

Le raffinement des instruments d'observation sur le développement précoce de l'embryon et du foetus a permis au cours des dernières décennies la récolte des données éclairant chacune un peu plus le mystère des origines. Parallèlement, l'intérêt grandissant des cliniciens et des chercheurs pour le vécu de grossesse a contribué à lever une partie du voile sur les enjeux et les tâches propres à cette période.

L'arrivée d'un enfant bouleverse profondément plusieurs personnes de son environnement: la femme qui le porte, bien sûr, mais aussi l'homme qui l'a conçu avec elle, les parents et les membres de la famille immédiate et élargie de ceux-ci, le ou les enfants qu'ils ont déjà. La naissance de cette nouvelle personne présuppose la "naissance" d'une mère, d'un père, de grand-parents, d'un frère ou d'une soeur. Eblouis par cette vie qui jaillit, on a parfois tendance à négliger ces derniers. Chacun d'entre eux mérite pourtant qu'on s'y arrête: comme Winnicott l'a rappelé, "**un bébé seul, ça n'existe pas**"[1].

Nous nous attacherons ici aux phénomènes psychologiques qui président à la "naissance de la mère" sans perdre de vue qu'elle non plus n'existe pas isolément. En effet, en donnant la vie, elle renoue avec sa propre naissance tout en s'en éloignant sans retour. Tout ce qu'elle porte en elle des personnes et des

Entre le désir d'enfant et l'accouchement, un ensemble de processus psychologiques, émotionnels et relationnels sont mis en oeuvre pour permettre les réaménagements radicaux que la "maternalisation" exige. A partir d'un survol des concepts définis dans les études classiques sur la question et d'une expérience de consultation psychiatrique auprès de femmes enceintes, ces changements et les principales tâches auxquelles ils répondent sont considérés sous un angle psychodynamique.

expériences significatives de son existence sera remanié au cours de la traversée de ce passage décisif. Nous tenterons de cerner les principaux enjeux auxquels se trouve confrontée la femme qui porte un enfant. Appuyé sur une expérience de consultation psychiatrique dans un service d'obstétrique et sur des témoignages de femmes ayant vécu des grossesses sans complication, ce texte propose un survol forcément incomplet. Teinté par l'approche clinique dont il est issu, il vise néanmoins à esquisser une certaine vision du parcours psychologique de la grossesse.

Pour ceux et celles qui accompagnent d'une manière ou d'une autre des femmes enceintes, l'intérêt éveillé par l'observation attentive de la mère en devenir dépasse vite le cadre habituel de la clinique. Car, même en l'absence de pathologie et de complications, on prend conscience qu'une "**crise**" est en cours, au sens originel du mot, celui de décision, de moment crucial dans le déroulement des choses. Ce tournant de sa vie déclenche un réaménagement majeur de l'univers psychique de la femme enceinte. Et on découvre auprès d'elle que des questions de vie et de mort se posent avec une acuité toute particulière autour de la naissance.

En quelques mois vont s'aligner, se nouer et se dénouer en elle les repères cardinaux de sa vie, les éléments fondateurs de son identité, les drames et conflits plus ou moins bien résolus antérieurement. Selon sa propre perspective généalogique, familiale et affective, ces formations inconscientes vont se télescoper, se condenser et se superposer de telle façon que toute sa vie pourra être saisie en raccourci.

Miroir de ces transformations profondes, la parole de la mère-en-devenir constitue une fenêtre privilégiée sur l'inconscient; sa grossesse constitue une période-charnière dont elle sortira grandie ou désemparée, mais à coup sûr différente. Quant à l'enfant, le déroulement de sa gestation physique et psychologique l'amènera à voir le jour, au mieux, fondé dans le désir structurant des parents ou hypothéqué par des failles et des distortions d'autant plus entravantes qu'elles seront originaires.

Durant la grossesse, cette **crise de maturation** [2,3], cette **crise intégrative** [4], mobilise et assouplit les composantes de la personnalité, leur conférant une fluidité et une limpidité uniques. On assiste à un affleurement de l'inconscient d'où rejaillissent les questions de fond qui peuvent permettre à cette femme et à cet enfant-à-naître de s'accepter et de se définir l'un par rapport à l'autre.

La mère en devenir est renvoyée à ses propres origines, à son propre enfantement, au maternage qu'elle a reçu, à la façon dont ses besoins de base ont jadis été rencontrés, à son parcours de vie. Il s'opère une mise au point intérieure entre:

- l'équilibre délicat entre ses besoins de dépendance et ses aspirations à l'autonomie,
- l'intégration plus ou moins accidentée des stades d'expression de sa libido,
- l'association psyché-soma harmonieuse ou heurtée,
- la séparation réalisée ou non d'avec les figures parentales,
- le degré de personnalisation qu'elle aura atteint,
- la place qu'elle aura pu se tailler face aux imagos parentales dans sa configuration oedipienne,
- son niveau de socialisation,
- la satisfaction ou l'inconfort trouvé dans son travail, dans sa vie de couple et dans sa sexualité,
- son intégrité physique et son acceptation d'elle-même et de son corps.

Toutes ces dimensions et bien d'autres devront être reconsidérées tantôt dans le murmure paisible de la sérénité, tantôt dans la tempête des drames affectifs ou somatiques. De façon un peu arbitraire mais conformément aux études approfondies sur le sujet, nous reconnaîtrons trois phases correspondant *grosso modo* aux trois trimestres de la gestation intra-utérine.

PREMIER TRIMESTRE

Au départ, un choix fondamental se pose à partir duquel tout le reste va s'échafauder: **désir d'enfant** ou **refus d'enfant** [5]. A notre époque et dans notre société, l'accès à des méthodes de contraception efficaces fait en sorte que la plupart des grossesses sont choisies, souvent planifiées de longue date et avec grand soin. Pourtant, être enceinte dans les faits ne signifie pas toujours qu'il y ait désir d'enfant. Cela peut n'être que la résultante d'un **désir de grossesse** correspondant au besoin de recevoir du conjoint ce don tant attendu, d'exercer le formidable pouvoir de générer la vie. Cette seule dimension peut être appelée à la rescousse d'une image de soi défaillante, en réparation de blessures ou de fragilités narcissiques, pour combler une brèche intérieure, renflouer un couple en péril...

On peut aussi reconnaître chez la femme un **désir de maternité**: celui de devenir à son tour la figure nourricière et omnipotente face à un bébé qui lui reflète le bébé qu'elle a été. A ce niveau, la grossesse constitue l'occasion de revivre à travers l'enfant, sa propre naissance et son maternage, mais en une inversion des rôles gratifiante mais combien problématique sur le plan narcissique. A l'enfant passif et soumis à l'ordre maternel a succédé l'adulte confirmée par cette maternité dans ses pouvoirs et prérogatives de grande personne. Mais ici encore, la grossesse n'est désirée qu'en complément et l'enfant n'est pas vraiment reconnu comme une personne à part entière destinée à réaliser son destin personnel et son altérité.

Le **désir d'enfant**, s'il inclut forcément les deux dimensions précédentes, implique surtout cette reconnaissance progressive du statut d'être séparé du bébé et ce, à partir de l'indifférenciation, de l'état d'intimité inoui qui préside à sa conception [6].

Cette conjoncture renvoie nécessairement chaque femme qui y est confrontée vers ses propres origines. A-t-elle elle-même été désirée? Et de quelle nature était ce désir? Qu'elle ait été voulue pour elle-même ou appelée, par exemple, comme appoint narcissique à une mère déprimée ou encore pour colmater une béance laissée par le deuil non résolu d'un enfant perdu antérieurement, tout cela n'est, bien sûr, pas indifférent... D'autre part, du désir de qui s'agit-il ici? Celui de l'époux? Celui des parents? Est-il dicté par une rivalité, un besoin de se mesurer avec ses soeurs, ses amies, avec la mère écrasante de ses fantasmes infantiles?

Derrière le désir exprimé par la femme adulte, se profilent les désirs cachés de la petite fille aspirant à se faire l'égale de la mère, mais aussi en contrepartie, la crainte que celle-ci ne lui réclame cet enfant, le lui ravisse ou encore qu'elle-même se sente tenue de le lui offrir. Cet **enfant imaginaire** [7,8,9], on peut se le représenter comme celui que la fillette veut recevoir de son père, le bébé-cadeau qui viendrait la confirmer dans son statut de femme aussi désirable que sa mère.

Puisque par ailleurs le désir d'enfant se fonde sur le principe de plaisir, il peut être source de culpabilité. Les changements corporels survenant chez la femme enceinte constituent en effet la trace flagrante de sa vie sexuelle et, à cette enseigne, entre autres, ils peuvent être difficiles à assumer pour celle qui, soumise aux interdits intériorisés, se refuse le droit d'exercer sa sexualité.

Cette métamorphose signe aussi le fait que désormais, **rien ne sera plus jamais comme avant** pour elle. Son statut d'être autonome, sans entraves doit être radicalement modifié en regard de la responsabilité d'un bébé dépendant d'elle [10,11,12]. Le foetus, souvent perçu au début comme un corps étranger, elle devra l'accepter comme partie intégrante d'elle-même et apprivoiser la réalité étrange et inquiétante d'être "deux-en-un".

Le choix entre acceptation ou refus de l'enfant peut être difficile à faire. Mais il devient carrément conflictuel lorsqu'il y a inadéquation entre les attitudes conscientes et les attitudes inconscientes face à l'enfant [13]. C'est l'ambivalence et surtout son caractère difficilement exprimable qui provoque le plus souvent les manifestations somatiques du conflit. Nausées et vomissements incoercibles, troubles végétatifs inexpliqués, avortements spontanés du premier trimestre, somatisations de toutes sortes peuvent alors être des indices à ne pas négliger d'une détresse intérieure informulable [14].

Sur le plan interactionnel, l'attitude des parents au tout début de la grossesse est d'une importance capitale pour la femme enceinte car elle peut déterminer une grande partie de sa perception de la gestation et de la maternité. Des manifestations de joie, de fierté sans équivoque peuvent favoriser chez elle un sentiment de réussite et d'espoir l'autorisant à entreprendre ce voyage fabuleux en toute confiance. En revanche, des commentaires dépréciateurs ou un silence indifférent, une réserve lourde de malaises pourront la décourager.

Sur le plan de ses représentations internes, les imagos maternelle et paternelle de même que ses représentations du conjoint et de l'enfant sont changeantes et vont jouer un rôle de premier plan pendant la grossesse, comme l'a fait ressortir de manière très éclairante le travail de Judith Ballou[15].

L'accès harmonieux à la maternité suppose d'abord chez la femme enceinte un travail psychique de "**réconciliation avec l'image de sa propre mère**". Devenir mère à son tour implique qu'elle assume cette confirmation de son identité sexuelle et le fait qu'elle prend symboliquement la place jusque-là occupée par sa mère. Cette confrontation avec l'image de sa mère réactive la rivalité oedipienne et les conflits prégénitaux autour de l'individuation, de la séparation, de la dépendance et de l'autonomie déjà rencontrés dans la petite enfance et à l'adolescence. H. Deutsch [16] allait jusqu'à considérer que ces enjeux ne sont jamais résolus tant que la femme n'a pas vécu une grossesse. Cette affirmation peut paraître excessive. Mais il est sûr que l'attente d'un enfant amène la femme enceinte à faire un bilan tant sur le plan conscient qu'inconscient. Il lui faudra aménager ces conflits intrapsychiques afin de résoudre l'ambivalence entre ses désirs de gratifications dans la dépendance à la figure maternelle et ses aspirations à l'autonomie, entre son accession au statut d'adulte et de mère et la peur de retaliation de la part de la mère intériorisée supplantée, etc. Une bonne partie du travail psychique durant la grossesse vise donc à réaliser cette réconciliation avec l'imago maternelle: si celle-ci peut être perçue comme bonne et généreuse, acceptant cette nouvelle séparation d'avec sa fille, cette dernière se sentira autorisée à franchir ce seuil, à exercer sa faculté de mettre au monde.

L'image qu'elle s'est faite de son conjoint est également déterminante dans l'exécution de ces tâches. Dans sa fonction maternelle, cette image peut lui servir de support, d'alliée et de substitut maternel et ainsi faciliter la résolution des conflits de dépendance face à sa mère. Dans sa fonction paternelle, l'image du conjoint lui permet de composer avec les problématiques oedipiennes.

Porter un enfant amène aussi chez la femme des **modifications de son image d'elle-même**: d'une certaine façon, la grossesse représente une épreuve cruciale à divers niveaux: pour son sentiment de compétence, d'efficacité, pour sa confiance en elle-même. La très grande majorité des mères reconnaissent avoir éprouvé de manière aiguë leur fragilité sur ces plans au cours de la gestation.

D'autre part, **l'image qu'elle se forge de l'enfant** en cours de grossesse sera l'objet de remaniements constants depuis les premiers moments où elle a conçu le projet d'enfanter jusqu'à celui du premier face-à-face avec le bébé réel. Cette image, aussi mouvante soit-elle, constitue la base de sa relation future à son enfant.

Tous les auteurs ont constaté dès le premier trimestre l'apparition de la "**régression**" particulière [2,3,18,19,20,21] associée à l'état de grossesse. On se réfère ici au relâchement des défenses psychiques, à l'apparition de matériel primitif, à la ré-édition des conflits antérieurs [11]... Le terme est équivoque puisqu'il est tiré de la psychopathologie et entaché d'une connotation d'anormalité. On connait cependant d'autres exemples de régressions au service du Moi et qui s'avèrent essentielles à l'accomplissement de certaines tâches psychiques en vue d'une évolution vers une étape de maturation supérieure ou à la traversée de passages critiques de l'existence: les régressions observées pendant l'adolescence, dans le décours d'une maladie physique ou dans le processus de deuil normal par exemple. Ici, ce retour à des états et à des modes de fonctionnement jadis abandonnés ou mis en veilleuse préside au réaménagement indispensable à l'accession harmonieuse au statut de mère.

Cette résurgence du passé et cette faculté de s'identifier aussi intimement au bébé à venir pourraient être considérées comme des signes de dérèglement psychique et émotionnel dans un autre contexte, s'il n'y avait pas de bébé, comme l'a souligné Winnicott [1]. Elles doivent ici être respectées comme une phase essentielle à la mise au monde d'un être humain. Ces premiers mois de grossesse se caractérisent aussi par une augmentation de la fantasmatisation autour de thèmes liés à l'oralité: goût bizarres, rêves de dévoration, préoccupations par rapport à l'alimentation [3,11,1,20].

DEUXIEME TRIMESTRE

Le processus d'**incorporation** amorcé à l'étape précédente se poursuit maintenant dans le sens d'une différenciation accrue du foetus. Le deuxième acte de la grossesse s'ouvre d'ailleurs sur la perception des premiers mouvements foetaux. Le bébé se signale d'abord par des manifestations indirectes et subtiles dans le corps maternel puis se révèle comme un être animé de mouvements propres, ayant une forme et un volume qui lui confèrent une densité croissante dans le ressenti et les représentations de la mère. Les examens médicaux jouent souvent un rôle facilitateur dans l'amorce de ce stade: le fait d'entendre le coeur foetal ou de distinguer les contours du foetus à l'échographie sont fréquemment les premières expériences concrètes de l'existence différenciée du bébé pour la femme enceinte et son conjoint. Accueilli initialement comme une partie indifférenciée de la mère au stade de la nidation psychologique, il s'impose dorénavant et devra être reconnu et accepté comme une entité dotée d'un début d'identité propre.

Ce "ressenti" singulier peut être interprété par certaines femmes comme une menace pour leur intégrité et, en retour, elles peuvent se sentir dangereuses pour le foetus. Cette situation de "**deux-en-un**" est un terrain fertile pour la mise en oeuvre de projections de la mère sur l'enfant qu'elle porte. Elles ont un caractère positif ou mortifère selon, par exemple, que la femme enceinte assimile le foetus au bébé de sa propre mère bienveillante ou despotique, à celui du conjoint-géniteur accepté ou répudié, à celui que son imago paternelle lui refuse ou lui consent, à celui en qui elle peut se reconnaître ou non... A cette période, la femme éprouve fréquemment la conviction tantôt inquiétante, tantôt rassurante que l'histoire de sa propre naissance et de sa relation à sa propre mère avec ses vicissitudes, complications ou satisfactions est en train de se répéter.

Le bébé qui s'anime dans son ventre pourra être représenté plus ou moins consciemment dans la psyché maternelle comme de la nourriture ou comme un dévorateur, des matières fécales ou un pénis; parallèlement la mère commence à s'en tracer une image idéale. Étroitement unie à lui, elle s'isole peu à peu du monde extérieur, son énergie libidinale retirée des objets externes est ré-investie en libido narcissique dans la dyade symbiotique. Ce transfert d'énergies libidinales contribue à aider la mère dans sa capacité d'accueil.

TROISIEME TRIMESTRE

Deux tâches se précisent durant le dernier trimestre: **l'individuation et la séparation**. A partir d'un état de symbiose véritable avec son bébé, la femme est appelée à reconnaître son enfant comme une personne "autre" faute de quoi des problèmes dérivant d'une fusion persistante avec le bébé risquent de s'installer. Se résoudre à larguer un être aussi intimement issu de soi, à s'en séparer après l'avoir reçu et façonné à même sa substance n'est pas le moindre paradoxe auquel le don de la vie expose la femme enceinte. Cette étape risque d'être particulièrement éprouvante pour celles qui ont connu des difficultés à se "dé-fusionner" de leur mère. Il leur sera très ardu d'accorder son individualité à leur enfant à venir, de supporter vraiment cette séparation. Rarement exprimées directement, les résistances à la séparation se traduisent parfois par la tendance à afficher un détachement excessif face à l'enfant, ou encore par un discours reléguant l'enfant au statut mal différencié de simple prolongement maternel.

A cette phase de préparation à l'accouchement, qui est avant tout division, rupture et séparation, quelque chose de l'ordre d'un deuil doit s'enclencher. Deuil de l'enfant imaginaire, de l'enfant fantasmatique, de l'enfant idéal. Renoncement pénible mais nécessaire pour faire place à l'enfant réel. Les inquiétudes sur l'intégrité physique et mentale du bébé, présentes tout au long de la grossesse, et qui culminent ici à l'approche de la délivrance reflètent peut-être, au-delà du désir que l'enfant soit normal, les retombées émotionnelles de ce deuil. Comment, en effet, la mère n'éprouverait-elle pas des sentiments teintés d'amertume et d'hostilité à l'endroit de ce bébé qui semblait lui offrir la possiblité de réaliser à travers lui ses désirs d'omnipotence pour ensuite l'amener à y renoncer afin qu'il puisse naître pleinement?

L'inconfort physique plus marqué des dernières semaines et les changements corporels atteignent des proportions difficiles à supporter. Le sommeil, les déplacements, la digestion sont entravés. Les peurs de la douleur, des accidents en cours d'accouchement, de la mutilation, de l'épisiotomie, de la perte de contrôle et même de la mort sont à leur apogée, surtout chez la primipare.

A cette phase, la parturiante ressent intensément le besoin d'être soutenue par son conjoint, sa mère et les personnes significatives de son entourage. Le dosage entre la présence sécurisante et le respect du retrait naturel dans lequel se réfugie la future mère est ici crucial. Les comportements de nidation se multiplient: préparation de la chambre et de la layette, ménage, etc.. Les perturbations métaboliques et fonctionnelles sont souvent à cette étape en rapport étroit avec des vécus de détresse et des angoisses débordant les capacités du Moi. Des expériences antérieures de défaillances de l'environnement, des vulnérabilités héritées d'abandons ou d'échecs dans le passé peuvent rendre intolérable la perspective du dénouement d'autant plus fatidique s'il est appréhendé comme une catastrophe. Problèmes de tension artérielle, diabète incontrôlable, menace de travail pré-terme, manifestations somatiques d'angoisse traduisent alors une embâcle dans le cours normal des choses en même temps souvent qu'une tentative inconsciente d'échapper à l'impasse.

Au terme de cet aperçu, il faut rappeler que les enjeux évoqués plus haut et les processus mis en oeuvre se posent et évoluent tout le long de la grossesse. Ils s'élaborent, se complexifient et s'influencent mutuellement selon un rythme individuel propre à chaque femme, et à chacune de ses grossesses. Bien que nous ayions divisé le déroulement de la grossesse en nous référant à ses temps forts, il importe de souligner les chevauchements et les recoupements incessants qui s'opèrent dans chaque situation particulière.

Dans la plupart des cas, lorsque tout va bien, la résolution en cours d'une tâche sert d'assise pour l'amorce d'une suivante. S'il y a , par contre, persistance d'un conflit présent au départ, comme une ambivalence marquée par rapport au désir d'enfant, tous les autres aspects du travail psychique peuvent s'en trouver entravés. Mais il n'est pas exclu que dans une situation semblable, l'ambivalence s'apaise en fin de grossesse lorsque le foetus se manifeste avec plus de vigueur, aidant ainsi la femme à s'affranchir des fantasmes oedipiens qui lui barraient l'accès à la maternité. Rien n'est jamais joué dans l'univers particulièrement mobile d'une gestation. Les mécanismes de défense prévalents de certaines femmes les amèneront, par exemple, à bloquer, à geler les processus d'adaptation psycho-affectifs à la grossesse pour diverses raisons (conséquences d'interdit névrotique, deuil pendant la grossesse, structure caractérielle la poussant à fuir dans l'agir les émotions redoutées...) Ce qui ne les empêchera pas forcément d'effectuer un "rattrapage" si le conflit peut être travaillé en psychothérapie, si le deuil peut s'effectuer après l'accouchement, si l'évolution de la grossesse ou la naissance du bébé leur permet de départager réalité interne et réalité externe.

Certains cas de troubles psychologiques du post-partum apparaissent clairement dériver d'un tel phénomène de rattrapage tardif. Vus sous cet angle, ces "troubles" ne font plus figure de processus pathologiques, mais au contraire de tentatives de réaliser après l'accouchement les remaniements psychologiques qui n'ont pu advenir pendant la grossesse. Ce n'est pas le bébé qui est rejeté, ni la maternité qui est repoussée; c'est plutôt une femme qui cherche intérieurement à faire place à la mère.

En conclusion, soulignons que la clinique auprès des mères nous sensibilise en retour à des réalités pertinentes pour toute expérience de grossesse. D'abord, elle nous oblige à prendre conscience de l'importance de la gestation psychologique: si la dimension biologique de la mise au monde d'un être humain demeure un phénomène extraordinaire et inspire l'admiration, sa contrepartie psychologique est trop souvent négligée, méconnue. C'est pourtant à ce niveau que s'opèrent des processus uniques qui déterminent le caractère spécifiquement humain de toute naissance. D'autre part, les remaniements survenant au coeur de la psyché de la mère en devenir peuvent dérouter par leur intensité, leur profondeur et leur ampleur: l'état d'attente d'un enfant déborde les normes définies en fonction d'autres situations de vie. Cet état est vécu selon ses règles propres destinées à mettre au monde non seulement un bébé, mais aussi une mère. Les forces instinctuelles fabuleuses mobilisées en cours de grossesse pour faciliter l'accès à la maternité devraient nous inciter à ne rien négliger pour venir en aide aux femmes qui traversent cette étape capitale, et à poursuivre le développement d'une approche globale du "**naître**".

From a review of literature as well as the author's personal experience as a psychiatric consultant in a department of obstetrics, the psychodynamics of motherhood are discussed.

Michelangelo, 1560, **Vierge et Enfant**

Références

1. Winnicott DW. La préoccupation maternelle primaire. In: **De la pédiatrie à la psychanalyse.** Paris: Payot, 1969.
2. Bibring GL. Some considerations of the psychological process in pregnancy. **Psychoanal Study Child** 1959;14:113-121.
3. Bibring GL, Dwyer TF, Huntington DS, Vallenstein A. A study of the psychological process in pregnancy on the earliest mother- child relationship. **Psychoanal Study Child** 1961;16:9-45.
4. Racamier PC, Sens C, Caretier L. La mère et l'enfant dans les psychoses du postpartum. **Evolution psychiatrique,** 1961; 26:525-570.
5. Charvet F. éd. **Désir d'enfant, refus d'enfant.** Paris: Stock, 1980.
6. Aulagnier P. Naissance d'un corps, origine d'une histoire, in **Corps et histoire: confluents psychanalytiques**. Paris: Les Belles Lettres éd., 1986.
7. Soulé M. **La dynamique du nourrisson ou Quoi de neuf bébé?** Paris: ESF, 1982.
8. Lebovici S. **Le nourrisson, la mère et le psychanalyste.** Paris: Centurion, 1983.
9. Stein C. **L'enfant imaginaire.** Paris: Denoel, 1977.
10. Benedek T. **Psychosexual function in women.** New York: Ronald Press, 1952.
11. Benedek T. Parenthood as a developmental phase. **J Am Psychoanal Assoc** 1959;7:389-417.
12. Benedek T. Towards the biology of the depressive constellation. **J Am Psychoanal Assoc** 1956;4:389-427.
13. Chertok L, Bonnaud M, Borelli M, Donnet JL, Revault d'Allones C. **Motherhood and personality.** Philadelphia; Lippincott, 1969.
14. McDonald RL. The role of emotional factors in obstetric complications: a review. **Psychosom Med** 1968;30:222-237.
15. Ballou, JW **The psychology of pregnancy.** Lexington: Lexington Press, 1978.
16. Deutsch, H. **The psychology of women.** New York: Grune & Stratton, 1945.
17. Bibring GL, Kahana R. **Lectures in medical psychology.** New York, International Universities Press, 1968.
18. Kestemberg J. On the development of maternal feelings in early childhood. **Psychoanal Study Child** 1956;11:257-291.
19. Kestemberg J. Regression and reintegration in pregnancy. J **Am Psychoanal Ass** 1976;24:243-250.
20. Lester EP, Notman MT. Pregnancy: developmental crisis and object relations. **Int J Psychoanal** 1986;67:357-366.
21. Pines D. Pregnancy and motherhood: interactions between fantasy and reality. **Br J Med Psychol** 1972;45:333-343.

Références générales

Cohen RL. **Psychiatric consultation in childhood settings.** New York: Plenum Press, 1988.

Lebovici S., F. Weil Halpern. **Psychopathologie du bébé.** Paris: PUF, 1989.

P.R.I.S.M.E. automne 1991, vol. 2, no 1

La thématique psychique dans les grossesses et les accouchements compliqués

Dominique SCARFONE
Jean-Pierre PEPIN

Dominique **Scarfone** est psychiatre et psychanalyste, membre de la Société psychanalytique de Montréal (Société Canadienne de psychanalyse). Professeur adjoint de clinique au Département de psychiatrie de l'Université de Montréal, il exerce sa pratique psychanalytique en bureau privé .
Jean-Pierre **Pépin** est psychiatre consultant au service d'obstétrique et responsable clinique de la section Maternelle des Soins de Jour psychiatriques de l'hôpital Sainte-Justine de Montréal.

En dehors des situations de crise typiquement psychiatriques et des situations de deuil après la perte d'un fœtus, d'un prématuré ou d'un bébé à terme, l'appel au psychiatre dans le cas de femmes enceintes hospitalisées, se fait généralement lorsque la thérapeutique médicale ne parvient pas à contrôler seule une crise somatique sérieuse: menace de travail pré-terme, avortements répétitifs (dits «habituels»), nausées et vomissements incoercibles et autres troubles somatiques assez graves pour menacer la vie ou la santé de la mère et/ou du bébé. L'entretien psychiatrique d'évaluation comporte déjà dans ces cas un début d'intervention, parce que le temps dont on dispose est limité par la menace somatique qui gronde.

Certaines situations sont moins urgentes: ce sont des crises psychologiques qui, sans représenter une menace immédiate sur le processus de la grossesse sont annonciatrices de complications tant psychiques que somatiques. Une forte ambivalence concernant la grossesse, par exemple, greffée à une situation maritale précaire ou à des conditions de «stress» important peuvent demander elles aussi une intervention à court-terme, c'est-à-dire calculée en semaines plutôt qu'en mois ou années.

Dans les cas de grossesse compliquée, au-delà de la nosographie psychiatrique habituelle, il y a lieu d'accorder une attention particulière aux problématiques psychiques spécifiques surgies dans cette «zone de haute densité existentielle» qu'est la grossesse, afin d'orienter l'intervention psychothérapeutique. En illustrant leurs propos de trois vignettes cliniques, les auteurs proposent une classification à usage clinique courant des différentes problématiques rencontrées et insistent sur la valeur cruciale, pour l'intervention thérapeutique, de la capacité des patientes d'élaborer adéquatement un deuil.

Bien que la majorité des interventions ne nécessitent pas le recours à la pharmacothérapie, celle-ci peut devenir nécessaire dans certains cas. Il s'agit alors de procéder selon des critères qui sont assez bien répertoriés dans la littérature médicale et psychiatrique [1,2].

Parmi les moyens décrits dans ladite littérature, l'intervention psychothérapeutique est régulièrement mentionnée mais rarement spécifiée. Il est bien entendu possible d'envisager une psychothérapie ou une psychanalyse en situation de grossesse quand cette dernière ne présente pas de difficultés somatiques majeures imminentes, mais dans les situations de crise que nous évoquions plus haut, il nous faut décider rapidement de ce qu'il est ou non pertinent d'explorer plus à fond et de ce qu'il faut dire et faire. Dès lors, les conditions habituelles d'une psychothérapie ou d'une psychanalyse ne sont plus réunies. On n'a pas le temps de s'attarder à une anamnèse qui occuperait plusieurs séances; l'association libre n'est pas opérante; l'attention flottante non plus: les processus psychiques de la patiente et du thérapeute sont nécessairement focalisés sur la situation présente. Cela n'exclut pas notre prise en compte de l'effectivité de processus inconscients, mais le cadre et la technique sont grandement modifiés.

Dans cette situation, le consultant s'aperçoit avec le temps que, s'il doit toujours rester ouvert à l'imprévu, il retrouve néanmoins des problèmes assez fréquents pour être considérés comme typiques et dont le réaménagement, à la faveur de l'intervention, est lié à une dissipation de la menace somatique. L'intervention dans un tel cadre semble bénéficier de facteurs facilitants; en particulier, nous notons une plus grande accessibilité des processus inconscients tant par une atténuation des défenses que par une notable tendance à répéter, ce qui rend d'autant plus repérables les rapports avec des éléments significatifs de l'histoire personnelle et familiale.

UNE ZONE DE HAUTE DENSITÉ EXISTENTIELLE

Avant d'aborder ces thèmes, quelques remarques plus générales. On dit souvent de la grossesse qu'elle est en soi une situation de crise, ce qui nous paraît très juste; peut-être serait-il moins inquiétant de dire qu'il s'agit d'une zone de «haute densité existentielle»? La grossesse, c'est évident, pose en soi la question de la vie et de la mort; elle place la mère et le père devant des tâches nouvelles, que ce soit lors d'une première grossesse ou lors de grossesses subséquentes.

La venue d'un premier enfant marque une transition décisive dans la vie du couple et de chacun des parents pris séparément. Est perdue de façon irréversible la position d'enfant: les futurs parents sont convoqués à occuper la place de père et de mère, ce qui réactive pour eux toute une série de questions que les phases antérieures du développement avaient pu laisser en suspens. Du point de vue de la structure psychique, le désir, le droit, la capacité ou, au contraire, le refus, l'interdit et l'incapacité de devenir père ou mère sont des éléments centraux. Le problème de la filiation est en effet un des pivots essentiels de l'organisation psychique qui inscrit les individus dans une trame historique personnelle, familiale et sociale apte à garantir leur valeur narcissique ou, dans les cas moins heureux, à poser des défis insurmontables [3]. On remarque souvent que l'accession à la paternité ou à la maternité signe pour chacun des parents un fort sentiment de finitude de la vie: le fantasme d'immortalité semble mis à rude épreuve.

La naissance des autres enfants peut réactiver des conflits restés latents depuis l'enfance des parents; on pense bien sûr aux problèmes de rivalité fraternelle, de séparation d'avec la mère lors de ses accouchements, surtout s'il y a eu des complications, et de culpabilité face aux désirs inavouables concernant les nouveaux venus.

La tendance à la répétition sera beaucoup plus accusée dans les cas où l'histoire est porteuse d'événements restés secrets, enkystés dans la trame familiale; dans les cas, également, où les naissances auront été marquées d'autres événements plus ou moins dramatiques: mort, divorce et autres éléments de l'ordre de la perte.

Retenons que de cette matrice existentielle qu'est la situation de grossesse, toute une floraison est possible —conflits, deuils, espoirs et nouveaux départs— et que c'est dans ce creuset que vient se situer la consultation à propos de difficultés gravidiques diverses.

Les recherches épidémiologiques actuelles en psychiatrie et en santé mentale s'attardent, non sans raison, sur l'accumulation de «life events» qui, sur une échelle graduée, vont atteindre ou non un seuil fatidique mettant la personne en danger de décompensation somatique ou psychique. C'est déjà beaucoup, en effet, que d'être enceinte: on a vu plus haut que c'était un «événement» très chargé, donc un stress potentiel en soi. Toutefois, devant une crise somatique sérieuse de la grossesse, que peut faire de ces données le clinicien, quand bien même il aura été en mesure d'établir, par exemple, que Madame X a été soumise au cours de la dernière année à une série d'événements *«stressants»*? Dans une telle sitution, en effet, on ne peut se contenter du «Voilà Madame, pourquoi votre fille est muette!» et les mesures préventives n'entreront en ligne de compte qu'une fois la crise résolue. Dans les cas moins urgents, il y a lieu de tenir compte de certains facteurs de l'environnement et prescrire, proscrire ou conseiller telle ou telle attitude, tel ou tel élément concret. Le recours à des techniques, comme la relaxation, est aussi parfois nécessaire comme appoint thérapeutique ou même comme forme principale d'intervention lorsque nous n'avons pas un accès suffisant à la mentalisation.

L'intervention psychothérapeutique immédiate est d'un autre ordre et, dans notre expérience, elle passe par la recherche du sens, c'est-à-dire de l'inscription des événements critiques dans une histoire signifiante pour la ou les personnes concernées.

Il n'est pas possible, dans le cadre d'un article comme celui-ci, d'illustrer adéquatement nos thèses à propos de toutes les problématiques que nous rencontrons dans notre pratique. Nous allons donc nous concentrer sur un seul type de problème, mais hautement représentatif de la pratique en obstétrique: les menaces de travail pré-terme (MTPT) et les autres circonstances qui risquent de conduire à une interruption non-désirée de la grossesse, à un accouchement prématuré ou à d'autres situations dangereuses pour la santé du bébé et/ou de la mère.

OBSERVATION D'UN CAS EXEMPLAIRE

Madame D. est une femme dans la trentaine, hospitalisée pour menace de travail pré-terme à 28 semaines de grossesse. Déjà mère d'une fillette de quatre ans en bonne santé, elle a subi deux avortements spontanés du premier trimestre (à huit et douze semaines respectivement) avant l'actuelle grossesse. Celle-ci est désirée mais a provoqué des inquiétudes dues à des saignements à la dixième semaine. Tout s'est bien déroulé par la suite jusqu'au présent épisode. Elle a volontiers accepté de rencontrer un psychiatre, convaincue que ses difficultés actuelles avaient un rapport avec son histoire personnelle.

Dès le premier entretien, c'est l'image d'une mère intrusive, contrôlante et autoritaire qui est venue au premier plan; celle-ci l'a toujours traitée avec froideur et une secrète animosité. Face à cette figure maternelle décevante, la patiente tente depuis longtemps d'assurer son autonomie, tout en continuant à chercher l'approbation et la reconnaissance de sa mère. Celle-ci ne semble pas vouloir de la présente grossesse de sa fille qui lui rappelle la série de ses propres grossesses rapprochées, non-désirées.

Madame D. est la troisième de cinq enfants vivants. Elle est elle-même issue d'un accouchement prématuré à vingt-huit semaines, chose rare dans les années cinquante. Le dernier enfant de la mère, dont la patiente devait être la marraine, est mort peu après une naissance prématurée.

En plus d'une relation insatisfaisante avec sa mère —relation marquée par la carence— et une soumission précoce à celle-ci dans l'espoir de gagner son affection, elle a subi les abus sexuels de son père entre l'âge de dix et quinze ans. Elle y avait réagi à l'époque en se repliant sur elle-même, ne manifestant pas son désarroi de peur de trahir le honteux secret, d'être mal jugée et punie. Elle a souvent tenté par la suite de voir si son père pouvait l'apprécier pour autre chose, mais n'a reçu que des réponses négatives de sa part.

Le déclenchement du travail prématuré a coïncidé avec la dernière visite du père à Montréal, visite au cours de laquelle il a refusé de la voir.

Cette petite histoire de cas réunit à elle seule plusieurs éléments importants dont l'exploration et l'élaboration psychique en cours d'intervention psychothérapeutique donneront lieu à des modifications significatives dans la position de la patiente face à ses figures parentales, à son histoire et à ses désirs actuels concernant la maternité.

La conjugaison d'un élément de répétition de sa propre naissance à vingt-huit semaines avec l'interdit d'enfanter posé par la mère, le rejet par son père et la culpabilité persistante face à l'inceste subi, cela donne un ensemble fortement chargé de potentialités pathogènes qu'un événement déclenchant significatif —la répétition du rejet paternel— a tôt fait de réaliser. On peut comprendre que la grossesse de cette patiente représentait une visée de réparation narcissique de sa propre histoire de carence, en même temps qu'une réactivation d'un œdipe tronqué, frappé de honte et de culpabilité de par sa traduction, à l'âge de la puberté, en actes incestueux avec le père. Mais cette mise en sens après-coup serait restée bien sommaire si l'intervention psychothérapeutique ne nous avait révélé plusieurs autres mécanismes de transmission inter-générationnelle de conflits face à la maternité, dont l'impact se retrouvait également chez la propre fille de la patiente; la mise en sens aurait surtout été futile si elle n'avait pu conduire à une décontamination de la grossesse et du bébé des projections et des équations symboliques héritées d'une enfance douloureuse et toujours en œuvre dans la réalité présente. La prise de distance ou mieux, la nouvelle position adoptée face aux attentes et aux interdits parentaux n'a pu être élaborée par cette patiente qu'au prix du renoncement à ses propres espoirs d'être enfin reconnue et respectée par ses parents. La contrepartie de ce deuil a été de pouvoir se donner le droit d'accomplir son désir de maternité. Dès les premières séances, les contractions se sont apaisées et Madame D. a pu poursuivre sa grossesse jusqu'à terme, déjouant ainsi la fatalité de rééditer sa propre naissance.

UNE VUE D'ENSEMBLE

Les éléments identifiés dans notre vignette clinique ne sauraient bien entendu se retrouver dans toutes les histoires de travail pré-terme que nous rencontrons. Mais nous ne pouvons nous soustraire à l'idée qu'ils représentent une partie d'un ensemble plus vaste de facteurs assez fréquemment retrouvés et qui nous semblent dignes d'une sorte de classification à usage clinique courant. Nous désirons par là attirer l'attention des cliniciens sur la possible présence de ces facteurs dans l'histoire des patientes qui présentent des troubles importants du déroulement de la grossesse.

Sans prétendre à une classification exhaustive, nous tentons ici une certaine mise en ordre des problématiques rencontrées dans notre pratique. Cet «inventaire» n'a pas de visée limitative qui exclurait d'autres types de facteurs (biologiques, sociaux) ou d'autres modes de compréhension; il vise simplement à nous aider à y voir plus clair. Les éléments ici identifiés ne sont jamais seuls à l'œuvre. La plupart du temps, nous les trouvons combinés les uns aux autres, selon des patterns qui, s'ils ont entre eux certains points communs, n'en finissent pas de tisser des histoires toujours singulières, nécessitant par le fait même une compréhension et une intervention différentes dans chaque cas.

A) Problèmes reliés spécifiquement à l'histoire gestationnelle familiale:

- tendance à répéter l'âge gestationnel et le schème gestationnel de la mère;
- répétition de sa propre histoire de naissance;
- deuils non-résolus et réactions d'anniversaire;

B) Problèmes issus de conflits névrotiques:

- conflits avec images parentales:
  - conflits concernant la figure maternelle (mère intrusive, tyrannique ou au contraire soumise et dépréciée);
  - rivalité œdipienne;
  - culpabilité par rapport à rivalité fraternelle;
- troubles d'identification sexuelle;
- peurs primitives de mutilation et de mort face à l'accouchement;

C) Problèmes reliés à la structure de la personnalité:

- difficulté à renoncer au statut d'enfant (carence, tr. caractériels);
- recours à l'action;

D) Conflits actuels avec l'entourage:

- conflits entre le désir d'enfant de la mère (et/ou du père) et son accueil dans l'entourage immédiat;
- conflits d'ordre culturel.

Répétition, conflit et *deuil* sont les mots-clefs de cette classification. Trois termes intimement liés, puisque dans la répétition se noue le conflit que seul un deuil suffisamment élaboré est appelé à dénouer. Ce n'est pas ici le lieu de développer ce thème, mais nous croyons que la capacité d'élaborer un deuil est en fait le critère fondamental qui assure, pour ce qui est du psychisme, le passage sans complications des diverses étapes de cette période existentiellement si dense qu'est la grossesse. L'intervention psychothérapeutique dépendra donc pour une grande part de cette capacité d'élaboration des deuils nécessaires, que ceux-ci concernent des restes de situations conflictuelles de l'enfance remis en lumière et en question par la grossesse, ou qu'ils concernent des espoirs de compensation narcissique que la grossesse ne satisfait pas suffisamment, vu les tâches qu'elle impose au plan objectal quand elle se poursuit jusqu'à son terme normal [4].

Parfois, les besoins narcissiques sont si importants que le soutien psychothérapeutique prime sur la résolution des conflits, ceux-ci sont trop importants pour être abordés dans le cadre temporel limité de l'intervention de crise et nécessitent un suivi plus long par la suite. Ce soutien s'effectue par des moyens diversifiés, allant de la prescription d'un environnement physique plus approprié (par exemple, la simple prescription d'une chambre privée est souvent très bénéfique à certaines patientes dont le séjour en salle est une source d'anxiété additionnelle; d'autres patientes, au contraire, tolèrent mal la solitude d'une chambre privée) à l'enseignement de méthodes de relaxation, en passant par la prise en considération de l'environnement familial et des contacts téléphoniques fréquents.

«HOLDING» POUR MÈRE EN DÉTRESSE

Madame A. est admise une première fois à l'hôpital vers la dixième semaine d'une grossesse désirée, avec des nausées et vomissements incoercibles mais qui rentrent vite dans l'ordre. Une deuxième admission a lieu quelques semaines plus tard. La consultation psychiatrique est cette fois motivée surtout par une angoisse proche de la panique et par un sentiment aigu d'incompétence face à la grossesse, à l'accouchement et au rôle de mère. Madame A. avait eu, huit ans auparavant,une grossesse compliquée de toxémie; elle avait cependant accouché à terme d'un garçon en bonne santé. Sa réaction à l'accouchement, toutefois, en avait été une de panique: elle avait refusé qu'on lui remette l'enfant, n'étant pas capable de s'imaginer en prendre soin. L'enfant dut être confié à la grand-mère paternelle; la patiente le visitait régulièrement mais ne l'a pris en charge qu'au bout d'un an. Madame A. répétait ainsi sans le savoir sa propre histoire: à sa naissance, sa mère l'avait également laissée aux soins de sa grand-mère pendant deux ans. Lors de la présente grossesse, la patiente craint de ne pas être capable, une fois de plus, d'accepter son enfant et d'en prendre soin. Les crises d'angoisse s'atténuent au fur et à mesure qu'elle se rassure sous ce rapport, mais il aura fallu pour cela des séances fréquentes de relaxation — séances qui ont inclus le conjoint— et d'écoute patiente de ses angoisses, avec peu d'interprétations, celles-ci s'en tenant à l'identification à sa propre mère et à la répétition de sa naissance; une médication anxiolytique déjà en cours chez la patiente avant la grossesse fut aussi maintenue, bien qu'à des doses moindres.

L'élaboration psychique était ici entravée par l'aspect massif des traumatismes vécus dans l'enfance, dont la répétition avait une fois déjà court-circuité la psyché; cela rendait le travail d'interprétation très difficile et, en définitive, insuffisant.

Le bref séjour à l'hôpital fut suivi de rencontres régulières en externe qui se sont maintenues jusqu'à six mois après l'accouchement. Celui-ci s'est déroulé sans problèmes, mais le post-partum est vite devenu problématique, la détresse de la patiente s'exprimant par une fatigue excessive, de l'insomnie, de l'angoisse, le tout allant jusqu'à faire dire à la patiente qu'elle est incapable de continuer à s'occuper de son bébé. Une hospitalisation mère-enfant fut envisagée, mais devint superflue lorsque la mobilisation du conjoint et des beaux-parents ainsi que des rencontres rapprochées avec le couple et son bébé ont amené une résolution de la crise. L'intervention a surtout consisté à soutenir narcissiquement la patiente, en la recevant aussi souvent qu'elle en faisait la demande en dehors des rendez-vous réguliers, en valorisant ses qualités maternelles, en identifiant pour elle des sources de plaisir dans la relation avec son bébé et en aménageant, notamment par des conseils au mari, l'environnement le plus confortable possible pour elle. Une médication anti-dépressive fut instituée et a joué un rôle important dans le rétablissement des fonctions végétatives perturbées. Le recours aux ressources de son milieu fut aussi extrêmement important: une aide familiale fut fournie par le CLSC de son quartier et très vite une relation d'identification avec cette femme expérimentée a joué une fonction significative dans l'établissement d'un rôle maternel gratifiant.

UN RETISSAGE DE LA PSYCHÉ

Lorsque l'élaboration psychique et la capacité de deuil sont plus accessibles, l'intervention prend parfois une tournure surprenante, pour la patiente comme pour le psychiatre, dans le sens où la résolution de la crise s'effectue en peu de temps et donne lieu à des remaniements psychiques très significatifs. Le fonctionnement mental se révèle dans ces cas suffisamment riche pour donner lieu à une intervention beaucoup plus proche de l'interprétation de type analytique; les fonctions de soutien du thérapeute, quoique toujours présentes implicitement ou explicitement, passent alors au second plan.

Madame H. qui s'était rendue presqu'à terme d'une grossesse gémellaire doit subir une césarienne d'urgence parce que l'un des jumeaux présente des signes sérieux de détresse intra-utérine. La césarienne se déroule normalement jusqu'à ce qu'on s'alarme d'un saignement de l'endomètre qui ne semble pas vouloir cesser. Plusieurs transfusions sanguines et autres interventions médicales sont nécessaires; on craint sérieusement de perdre la patiente, mais tout rentre finalement dans l'ordre après trente-six heures d'émoi intense. A la suite de ces événements dramatiques, on a recours aux services de l'un de nous parce qu'on trouve la patiente déprimée et qu'on craint qu'elle ne soit traumatisée par tout ce qu'elle vient de traverser.

Madame H. est dans la trentaine, primipare; sa grossesse était désirée mais s'était déroulée dans un contexte rendu assez difficile du fait que le conjoint était en rédaction de thèse de doctorat au même moment, donc moins disponible que ne l'aurait souhaité la patiente, ce qui rendait la situation entre les conjoints parfois tendue.

La patiente accueille le psychiatre avec grand intérêt, jugeant la consultation appropriée. Mais en voulant s'excuser de ne pas pouvoir donner de détails sur les récents événements, elle poursuit en disant: «Vous comprenez, la plus grande partie s'est passée en deux morts de moi». Elle voulait dire: «en dehors de moi». Le psychiatre ne fait que souligner le lapsus, en le répétant. La patiente se met aussitôt à sangloter longuement, dans une sorte de catharsis de ce qu'elle a jusque-là retenu sagement en elle. Une fois apaisée, elle se met à dire combien ce lapsus lui semble significatif, car elle a vraiment eu peur d'avoir deux enfants morts lorsqu'on l'a transportée d'urgence pour la césarienne (elle ne fait pas allusion à l'hémorragie utérine qui a suivi).

La suite de l'entretien va cependant livrer un autre sens de ce lapsus, qui ramène Madame H. à ses propres origines. Elle raconte comment pendant toute son enfance elle s'est sentie triste sans pouvoir s'expliquer pourquoi. La plus jeune de cinq enfants, elle a grandi dans une famille sans particularités marquantes ni rien qui pût lui causer de soucis majeurs. Sa tristesse n'en était pas moins permanente, comme une toile de fond à sa vie; à tel point qu' elle résolut un jour de s'informer auprès de sa mère si quelque chose était survenu dans son enfance qui aurait pu laisser des traces. Sa mère lui dit que rien n'était arrivé dans son enfance, mais elle lui apprend que lorsqu'elle la portait dans son ventre, une grave dissension avec son père l'avait conduite à tenter de se faire avorter; les tentatives d'avortement avaient toutefois échoué et elle s'était résignée à la garder.

Les «deux morts de moi» s'éclairent donc d'un autre sens qui, lorsqu'il apparaît clairement aux yeux de la patiente, suscite une nouvelle décharge d'affect intense et soutenue. Les liens ainsi établis entre une première mort évitée lorsqu'elle était dans le ventre de sa mère et une deuxième évitée de justesse lorsqu'elle a mis au monde ses propres enfants tracent comme un arc de vie à l'intérieur duquel il y a des deuils à compléter, deuils que les événements récents ont révélé de façon dramatique. C'est ainsi que, sans aller jusqu'à postuler une relation directe de cause à effet entre les «deux morts» frôlées, il est possible à la patiente, dans une série d'entretiens d'une grande richesse en contenus fantasmatiques et en prises de conscience sur ce qu'a été sa vie antérieure (notamment par rapport à la question de la maternité, du désir de vie ou de mort concernant les enfants), de se repositionner face à ces questions primordiales. S'accorder le droit de donner la vie a été comme le parachèvement du fait de se reconnaître à elle même le droit de survivre aux désirs de mort qui l'avaient concernée.

Avant de proposer elle-même la fin des entretiens (un suivi en externe d'environ trois mois), Madame H. tient à faire une dernière chose: écrire —et lire à son thérapeute— un texte de fiction dans lequel elle raconte minute après minute le «vécu» de son accouchement de deux bébés...par voie naturelle! Par ce texte elle a voulu réparer la trame psychique restée béante du fait de la césarienne pratiquée d'urgence, des graves complications qui s'en sont suivies, où tout s'est passé sans sa participation psychique et affective. Elle a pu ainsi remettre en dedans d'elle ce qui s'était passé en-dehors...ou en deux morts.

CONCLUSION

Par les réflexions qui précèdent et les vignettes cliniques qui les accompagnent, nous avons voulu insister sur un point en particulier, à savoir qu'il y a lieu de thématiser les interventions thérapeutiques de crise ou à court-terme auprès de femmes enceintes ou parturientes, au-delà de ce que la nosographie psychiatrique définit comme pathologies reliées à la grossesse et au post-partum. Là où la littérature s'en tient le plus souvent à l'épidémiologie de syndromes «classiques» et à des orientations générales quant à la thérapeutique, il nous a semblé utile de montrer quelques aspects d'une pratique qui s'intéresse aux contenus spécifiques de ce que vivent les femmes et leurs conjoints autour de ces moments existentiellement féconds que sont la grossesse et l'accouchement. En particulier, nous croyons qu'en dehors des pathologies psychiatriques habituellement reliées à la grossesse et au post-partum, il y a un vaste champ d'intervention où la symptomatologie revêt des aspects variés, à forte teneur somatique, mais qu'il n'y a pas lieu de vouloir inventorier comme autant de nouveaux syndromes psychopathologiques. Bien au contraire, dans le domaine de la grossesse et de l'accouchement, où le plus souvent les manifestations pathologiques n'ont rien de psychiatriquement spécifique, c'est plutôt la problématique psychique mise en évidence autour de ces étapes cruciales —normales en soi— et surtout la conflictualité qui vient rompre le cours normal des choses, qui devraient à notre avis faire l'objet d'une plus grande attention de la part des praticiens.❖

In the psychiatric management of complicated pregnancies, one must go beyond the usual psychiatric nosography and pay special attention to specific mental complexes that arise during the pregnancy considered as a «zone of high existential density». Illustrating their ideas with three clinical vignettes, the authors propose a classification designed for current clinical use and insist on the crucial role played during the therapeutic intervention by the patient's capacity to mourn.

Références

1. Steiner M. Postpartum psychiatric disorders. **Can J Psychiatry** 1990;35:89-95.

2. Robinson GE, Stewart DE, Flak E. The rationale use of psychotropic drugs in pregnancy and postpartum. **Can J Psychiatry** 1986;31:183-190.

3. Aulagnier P. **La violence de l'interprétation.** Paris: PUF, 1975.

4. Pépin JP. Les enjeux psycho-affectifs de la grossesse. **P.R.I.S.M.E.** 1991;2: 14-23

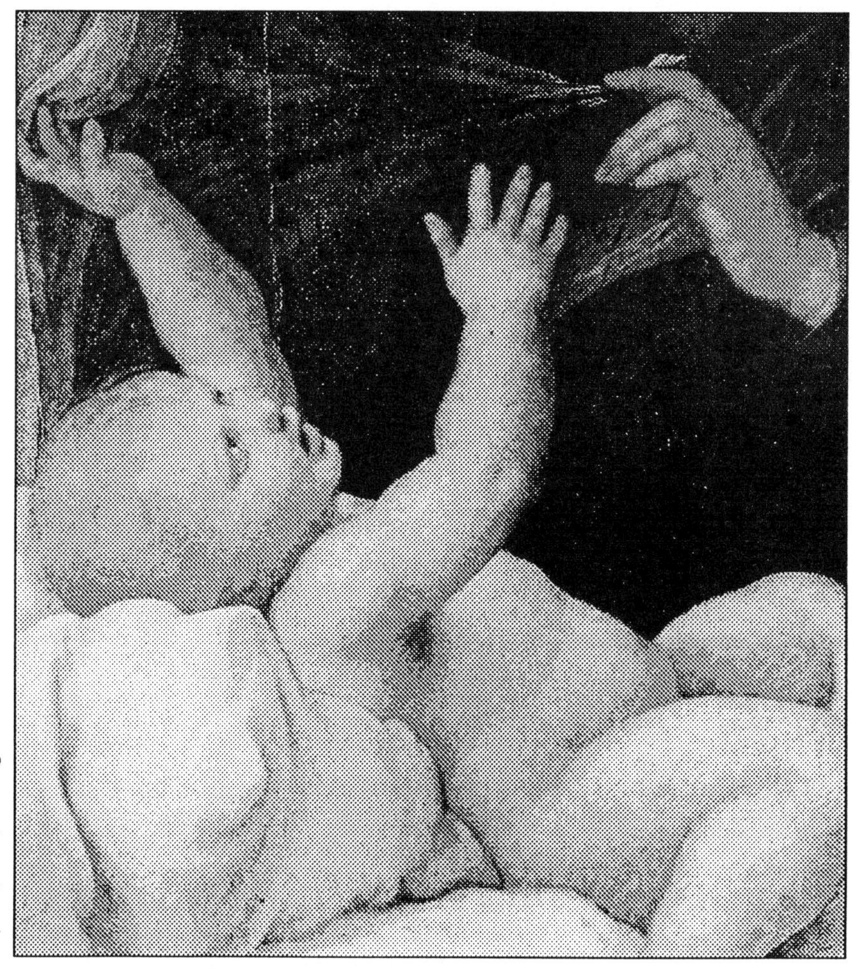

Raphaël, 1510, **La Vierge de Lorette**

P.R.I.S.M.E. automne 1991, vol. 2, no 1

Les aspects psychologiques de l'accouchement prématuré

La relation de couple

Madeleine SEDNAOUI MIRZA
Irène KRYMKO-BLETON
Gilles LORTIE

Madeleine **Sednaoui-Mirza** est psychothérapeute, étudiante au doctorat en psychologie à l'Université du Québec à Montréal.
Irène **Krymko-Bleton** est psychologue clinicienne et professeure au Département de psychologie de l'Université du Québec à Montréal.
Gilles **Lortie** est psychiatre et psychanalyste, consultant au Service d'Obstétrique-Gynécologie de l'Hôpital Sainte-Justine.

La grossesse et l'enfantement appartiennent à l'univers féminin, l'introduction de l'homme dans cette sphère féminine a eu lieu au XVIe siècle lorsque le médecin commence à remplacer la sage-femme durant les accouchements difficiles. L'importance du père de l'enfant auprès de la femme enceinte en dehors des rituels de couvade est une donnée sociale et culturelle toute récente. Les changements sociaux survenus au cours de ces dernières décenies ont modifié les structures familiales dans le monde occidental et ont suscité un questionnement: comment les liens que les époux entretiennent entre eux marquent-ils le processus de la grossesse et quelle est la nature du rôle du père, rôle qui débute bien avant la conception de l'enfant au sein du couple? Le tour d'horizon des recherches sur les causes psychologiques de l'accouchement prématuré que nous proposons ici constituent le premier jalon d'une étude qui tentera d'apporter des éléments de réponse à cette question.

Dans cet article, les auteurs présentent une revue de littérature ainsi que leurs hypothèses personnelles concernant l'influence possible du père en devenir sur le déroulement de la grossesse de sa conjointe.

La revue de littérature dessine l'environnement prénatal et l'influence qu'il exerce sur les étapes et l'évolution de la grossesse chez la femme, en insistant de façon plus particulière sur les études concernant la prématurité. Le rapport du couple est ensuite examiné, et plus particulièrement, sa transformation en famille par la venue au monde d'un enfant, transformation qui est antérieure à l'accouchement, voire même à la conception.

LA VIE ÉMOTIONNELLE ET LA GROSSESSE

Dans une revue de littérature effectuée en 1969, Ferreira met en relief l'impact que la vie émotionnelle de la femme enceinte peut avoir sur le foetus. Les premières observations qu'il cite sont effectuées par Whitehead en 1867 et seront confirmées par les études de Sontag et Wallace en 1934. Ces derniers observent l'existence d'un lien entre le développement du foetus et les événements survenant dans la vie de la femme enceinte. Squier et Dunbar en 1946 soulignent l'importance étiologique de facteurs émotionnels ainsi que l'existence de similarités entre les avortements spontanés répétitifs et la tendance répétée aux accidents.

Suite aux études effectuées par Kroger (1946) Javert (1954), la nature psychosomatique de ce syndrome est reconnue. D'autre part, des chercheurs d'orientation psychanalytique, Newton (1963), Rothman et Kaplan (1965) émettent l'hypothèse que l'avortement spontané serait une manifestation d'attitudes rejetantes à l'égard de la grossesse et de l'enfant. Selon Blau et al. (1963), Cerutti (1962) et Ritson (1966), les facteurs émotifs auraient une importance étiologique, dans les cas de prématurité et de grossesse prolongée. Il devient donc évident, que si les émotions négatives vécues par la mère ne détruisent pas toujours le foetus, comme dans le cas de fausses couches ou d'enfant mort-né, elles peuvent intervenir dans le processus de la grossesse.

La théorie psychosomatique résumée en 1980 par Offerman-Zuckerberg présente la relation psyché-soma sous forme de modèles psychanalytiques de la façon suivante. L'utérus est un muscle qui réagit aux états émotifs et se contracte dans les situations de colère, de peur et d'excitation sexuelle. La façon dont les émotions maternelles sont imprimées sur le foetus s'effectue à partir de leur réflexion dans le milieu utérin.

Les symptômes somatiques durant la grossesse peuvent représenter des affects refoulés où des affects concomitants, représentant l'expression d'émotions ayant été réprimées. Si une femme a l'habitude de somatiser, les chances sont grandes qu'elle somatisera au cours de sa grossesse, en cas de stress. Les symptômes psychosomatiques seraient significatifs et symboliseraient un sentiment refoulé; ils pourraient résulter uniquement du colmatage de l'expression émotive. Enfin ils pourraient être l'expression d'un moi déficient dans sa capacité d'utiliser le fantasme et la médiation verbale dans le but d'intégrer les conflits psychiques (Wittkower, cité dans Offerman-Zuckerberg, 1980).

Suite à une revue des études empiriques sur les nausées exagérées, les avortements répétés, l'infertilité et la toxémie, Offerman, Zuckerberg (1972) suggère que ces symptômes seraient d'importants points de repères des conditions psychosomatiques et constitueraient les signaux d'alarmes devant une inadaptation de la femme à son état de grossesse. Pour Zuckerberg, ces états physiques seraient associés à des conflits psychiques non résolus chez la mère et en particulier, au rejet du rôle féminin relié à des identifications problématiques avec sa propre mère. Si des forces dynamiques de croissance ne sont pas présentes dans sa vie et son mariage, les probabilités que des signaux d'alarme psychosomatiques surgissent sont grandes. Les problèmes que la femme vit pourraient aussi être déplacés sur des personnes significatives de son entourage, (le mari, l'obstétricien), sur son propre corps et enfin, sur son enfant. Zuckerberg constate que la manifestation de symptômes physiques est plus fréquente chez les femmes dont l'attitude positive s'accompagne de conflits inconscients à l'égard de leur grossesse.

Cependant, les émotions négatives peuvent être communiquées au foetus autrement, par des comportements potentiellement nocifs ou mortels. Par exemple, une mère négligente qui prend des risques en conduisant imprudemment ou en faisant subir à son corps des fatigues excessives qui mettent sa vie et la vie de son foetus en danger, manifesterait à la fois son anxiété, sa culpabilité et sa dépression à l'égard d'une grossesse non désirée.

L'approche psychanalytique de la prématurité est examinée par Le Vaguerèse (1970, 1983). Il introduit le concept de prématurité-symptôme qui a pour origine l'ambivalence des femmes vis-à vis de la grossesse et de l'enfant à naître. Pour cet auteur, la maladie serait un point d'interrogation, une question qui ne se pose pas aux tenants du savoir, mais que le malade se pose à lui-même, à ses ascendants et descendants. Cet auteur insiste sur le sens du symptôme que représente la prématurité, sens multiple car surdéterminé. Le Vaguerèse met en garde contre les interprétations hâtives et dangereuses, étant donné le système de fonctionnement complexe de l'inconscient protégé par la censure.

LA GROSSESSE ET LE CONTEXTE PSYCHO-SOCIAL ET FAMILIAL

Menninger (1943), tenant compte du contexte psycho-social dans lequel évolue la famille, constate que la capacité biologique d'enfanter pour la femme ne s'accompagne pas toujours du désir d'avoir un enfant. Souvent, ce sont les attentes familiales et sociales qui exigeraient d'elle d'accepter avec des mots une grossesse que ses sentiments rejettent. Ce conflit pourrait se manifester sous forme de réactions psychologiques et physiologiques.

Pour Ferreira (1963, 1965, 1966, 1969), les symptômes que l'on attribue uniquement aux conflits intrapsychiques individuels peuvent être compris de façon plus complète en terme de conflits interpersonnels survenant entre des personnes entretenant une relation significative. D'une façon générale, la femme enceinte vit dans un contexte relationnel où les émotions et les attitudes des personnes significatives doivent être prises en considération.

Selon Wortis (1960), la prématurité résulterait d'un large éventail de causes socio-économiques ou psychologiques susceptibles de provoquer une réaction physiologique. Il serait important de pouvoir examiner l'expérience de vie de la mère afin de savoir si l'accouchement prématuré n'est pas le résultat d'un pattern de stress, de conflits conjugaux, de tentatives de suicides ou d'avortements. Le bébé prématuré serait le produit d'une situation stressante et après l'accouchement, la mère continuerait à agir en personne stressée.

Enfin, une étude clinique effectuée par Peterson (1987) démontre l'existence de facteurs culturels pouvant contribuer aux complications de la grossesse et prévenir l'attachement au foetus.

Origines socio-économiques ou psychologiques et conséquences physiologiques appellent des mesures préventives pour améliorer la qualité des soins prénataux. Néanmoins, malgré les recherches variées sur les facteurs de risques tels que les activités professionnelles (Dreyfus, 1981), les risques socio-culturels, la monoparentalité (Bréart et al., 1977), la migration (Kaminski, 1978), les résultats obtenus ne jettent qu'une faible lumière sur la prévention prénatale.

Par ailleurs, les études périnatales effectuées en France par Papiernik (1983), Estryn et al. (1978) et Mamelle (1983), - cette dernière portant sur les conditions de travail de 3000 femmes enceintes - démontrent la relation entre les conditions difficiles de travail et le taux élevé de prématurité. Toutefois, comme le taux élevé n'est pas exclusif aux femmes qui travaillent, ces résultats ont amené les auteurs à conclure que l'essentiel de la prévention consiste à donner à la femme enceinte les moyens pour prendre conscience de son vécu afin de prendre elle-même la décision de modifier son mode de vie. L'encadrement psychologique permettrait donc une prise en charge de sa grossesse par la femme elle-même.

La mise au point de techniques d'action préventives médicales (telle le cerclage du col) ont parfois des conséquences surprenantes. Bouchart-Godard (1983) rapporte, par exemple, comment l'apparition d'un délire suite à l'intervention médicale, a permis de comprendre le sens qu'avait cet accouchement prématuré.

LA RELATION DE COUPLE, LE RÔLE DU PÈRE

Les transformations très récentes de la société provoquent des réaménagements importants des investissements affectifs au sein de la famille. Les partenaires d'un couple doivent répondre à des attentes réciproques accrues afin de compenser la disparition des réseaux relationnels familiaux complexes. C'est dans la relation de couple que la femme enceinte répétera ses conflits, mettant en jeu ses relations avec la mère interne. Les mères célibataires placées dans les maisons d'hébergement qui représentent un milieu maternel satisfaisant n'accouchent pas prématurément (Mazzochi, 1988, et communication personnelle de la Maison Rosalie-Jetté). Par contre, de nombreuses études ont démontré que des malaises de la femme enceinte peuvent être reliés à la dynamique affective qui règne dans le couple (Ferreira, 1962). Déjà, dans la seule recherche du genre, effectuée en 1958, Cole, (citée dans Ferreira) démontrait que la relation de couple peut avoir un potentiel abortogénique (de nos jours, les avortements spontanés de foetus viables sont de plus en plus identifiés comme des accouchements prématurés); toutefois, ce ne serait pas la personnalité de la femme ou de son conjoint qui serait déterminante mais une combinaison particulière à l'intérieur du couple. L'influence que chaque membre du couple exerce sur l'autre dépendrait de la façon dont les conflits intrapsychiques antérieurs auraient été résolus par le passé.

Au cours de la dernière décennie, la forme d'implication que les pères manifestaient auparavant auprès de leur famille s'est trouvée modifiée. Le rôle du père, bien que déjà reconnu auprès du très jeune enfant, devient l'objet de recherches qui remontent le cours du temps jusque dans les relations du couple au moment de la prise de décision de fonder une famille.

Ainsi, on décrit le sentiment de paternité au cours de la grossesse, comme un état de réceptivité de l'homme à l'égard de la grossesse de sa compagne. Deutsher (1981) décrit l'attitude du futur père à l'égard de sa conjointe, porteuse de son enfant, comme une alliance à l'état de grossesse, "au travail d'accueil" (Saucier 1983) de la future mère. Ce travail consiste en modifications physiologiques, psychosomatiques, intrapsychiques et comportementales qui préparent la femme à aménager un lieu psychique pour donner place à l'existence d'un nouvel être dans l'univers relationnel du couple et créer des liens avec l'enfant en gestation . Les liens libidinaux qui unissent deux conjoints seraient prédominants dans l'alliance de couple. Suite à la conception et à la naissance d'un enfant, cette alliance se transformerait en alliance parentale. (Cohen, Weissman, 1980).

L'alliance paternelle jouerait un rôle important dans l'édification de la "structure d'accueil" telle que décrite par Saucier. Celle-ci comprendrait un ensemble de variables du passé personnel et familial ainsi que du présent personnel, familial, social et culturel de la femme qui constitue le contexte de la grossesse. Ainsi, les recherches suggèrent que les liens qui s'établissent à l'intérieur du couple pendant la grossesse auraient une influence déterminante sur la capacité de la femme enceinte à supporter les événements qui l'entourent.

Les études sur l'environnement prénatal et son influence sur les réactions psychosomatiques, et plus particulièrement dans les cas de prématurité, mettent en relief l'importance du rôle capital que joue le père dans l'établissement d'un environnement propice au "travail d'accueil" de la mère. Récemment, les recherches ont démontré une corrélation élevée entre les difficultés matrimoniales et la perception négative de la mère à l'égard de son enfant prématuré. D'autre part, selon Kennedy (1973), la peur de perdre l'amour du mari pourrait vider la mère de toute ses réserves d'énergie et influencer le processus d'attachement.

Selon une étude épidémiologique effectuée par Ramsey et al (1986), un fonctionnement pathologique au sein de la famille contribue de façon significative dans la naissance d'un enfant prématuré. Richardson (1987) démontre la présence d'une corrélation élevée entre l'existence de problèmes matrimoniaux et le travail prématuré chez une femme enceinte. Les conséquences seraient dans de nombreux cas des manifestations pathologiques et abusives à l'égard de l'enfant après la naissance. Par ailleurs, Crnic et al (1983) et Siefert et al (1983) ont abouti à la conclusion que la perception positive et empathique de la part du conjoint favorise chez la mère des sentiments de bien être qui influencent de façon positive son attitude à l'égard de son enfant.

Selon des observations faites par le docteur Gilles Lortie lors d'interventions psycho-thérapeutiques de crise, il est fréquent de constater que les contractions prématurées surviennent lorsqu'il est prévu que le futur père, pour diverses raisons, ne pourra pas être présent auprès de sa partenaire à la date prévue de l'accouchement. Elles surviennent aussi quand le conjoint s'absente de façon répétitive et inhabituelle, laissant ainsi sa partenaire avec un sentiment de solitude. Chez certaines femmes, lorsque le consultant pouvait déceler et interpréter le symptôme d'"absence de l'époux" ou lorsque la situation domestique se régularisait, les contractions s'arrêtaient et la grossesse pouvait alors être menée à terme. Odent (1983) rapporte une observation similaire.

DEVENIR PÈRE

Selon Gurwitt (1976), le père ne pourra établir de liens supportifs avec sa conjointe, s'il n'a pas au préalable atteint lui-même un certain degré de maturité lui permettant d'être à l'aise dans sa masculinité, car il doit faire preuve d'une empathie qui aurait pour origines des identifications maternelles et paternelles. La venue au monde réactiverait donc chez les deux partenaires du couple les conflits qui auraient été soulevés au cours de leur vie au sein de leur famille d'origine.

Dans une étude longitudinale effectuée à partir d'un groupe de primipères dont les enfants sont nés prématurément, Herzog (1982) effectue un travail rétrospectif d'orientation psychodynamique, afin de reconstituer les étapes de la paternité. Selon Herzog, les processus psychologiques de l'expérience de la grossesse et de la maternité sont reliés aux changements physiologiques; l'expérience maternelle féminine serait ainsi intimement liée aux changements biologiques et corporels.

Pour l'homme, par contre, il y aurait une possibilité de choix dans son implication à l'égard de la grossesse de sa conjointe. L'homme en principe peut demeurer ignorant quant à sa paternité, il dépend de sa compagne pour savoir s'il a conçu un enfant. Aussi, ne portant pas l'enfant dans son corps, il lui est possible de décider d'ignorer cette grossesse et de minimiser sa participation psychologique consciente. Selon cette étude, les hommes qui ont une relation harmonieuse avec leur épouse seraient plus réceptifs et participeraient totalement à l'expérience anticipée de la paternité.

Herzog distingue sept étapes de préparatifs au devenir père qui, dans cette étude, se terminent brusquement à la suite de l'accouchement prématuré de leur partenaire. L'étape la plus marquante chez l'homme consiste en une remise en question des différentes identifications paternelles et filiales. Il est important de noter que Herzog tire ses conclusions en se basant sur les résultats obtenus auprès du groupe de pères (34) ayant vécu une relation matrimoniale heureuse précédant l'avènement de leur paternité. Herzog s'abstient de tirer des conclusions sur les 64 autres conjoints dont la relation de couple n'était pas satisfaisante. Il constate néanmoins que parmi les hommes n'ayant pas vécu cette remise en question identificatoire, un grand nombre aurait souffert de l'absence de leur propre père au cours de leur enfance, absence qui serait survenue durant les cinq premières années de leur vie. Ces hommes essayaient encore de retrouver leur père, ce qui avait pour résultat une entente moins harmonieuse avec leur épouse et des difficultés intrapsychiques et interpersonnelles tout au long des stades de leur paternité.

Bien que Herzog décrive un stade de planification des préparatifs à la naissance, le père en devenir ne commence à se former une image mentale de son enfant qu'au moment où la grossesse devient visible et qu'il est possible de sentir les mouvements du foetus (en posant les mains sur le ventre de sa partenaire, par exemple) ou de le visualiser durant une échographie. Néanmoins, les symptômes psychosomatiques comme le syndrome de la couvade (Trethoven cité dans Les pères aujourd'hui, 1982) qui se manifestent chez l'homme durant la grossesse de sa femme, démontrent bien que son inconscient participe à la grossesse de sa conjointe dès son début.

Selon Krymko-Bleton (1988), la naissance d'un enfant suscite une remise en question identificatoire chez le père dans sa famille d'origine. Les recherches s'accordent sur les processus identificatoires de l'homme avec son père; cependant l'importance de souvenirs archaïques reliés à sa relation avec sa propre mère est plus controversée. La vision de sa conjointe enceinte susciterait chez l'homme des sentiments ambivalents qui se manifesteraient dans les relations sexuelles. L'image de la mère, reliée au tabou de l'inceste prendrait de plus en plus la place de l'amante à mesure que la grossesse avance. Le contenu du ventre susciterait des fantasmes menaçants et parfois incestueux. L'utérus pouvant donner la vie pourra être visualisé comme une prison, suscitant des sentiments d'impuissance et de haine.

Les identifications du père en devenir sont donc multiples, les identifications paternelles masculines, les identifications maternelles empathiques et enfin les identifications au foetus anxiogènes. La régression de l'homme à l'époque de sa relation avec sa mère, ainsi que sa situation de père au fil des générations lui fait réaliser sa mortalité. La paternité suscite ainsi une crise d'identité intrapsychique et interpersonnelle.

Dans son étude effectuée en 1988 sur l'interruption volontaire de la grossesse, Colin fait ressortir la signification sacrificielle de l'avortement qui viendrait confirmer la primauté du conjoint auprès de sa compagne. Le bris de l'alliance paternelle au cours de la grossesse aboutissant à un accouchement prématuré pourrait-il représenter une mise en acte inconsciente d'un désir refoulé, qui pourrait avoir le même sens sacrificiel?

EN GUISE DE CONCLUSION

La contribution paternelle dans la famille commence par une alliance de couple; celle-ci se métamorphose en une alliance paternelle et familliale. L'homme apportera à sa compagne enceinte support ou stress additionnel, selon que lui-même aura pu, au préalable, intégrer les identifications multiples qu'il aura vécues au sein de sa famille d'origine. Le problème des pères en devenir, relié à leurs identifications multiples pourrait avoir des répercussions sur la gestation et la naissance prématurée qu'il serait important d'examiner.

Dans une recherche qu'ils entreprennent avec le concours du Service d'Obstétrique de l'Hôpital Sainte-Justine, les auteurs se proposent d'examiner l'hypothèse suivante: chez certaines femmes entrant dans le travail pré-terme pour des raisons idiopathiques, ce travail revêt un caractère d'acting-out psychosomatique lié à la dynamique du couple.

Cette dynamique peut être décrite comme suit: la femme psychologiquement dépendante de son partenaire a le sentiment d'être négligée par lui. Ce sentiment est lié à la réactivation de conflits infantiles dans une phase de régression partielle, caractéristique de l'état de grossesse. Le futur père brise effectivement "l'alliance paternelle au travail d'accueil" décrite par Deutsher (1981). Le bris de l'alliance survient à cause de difficultés psychiques inconscientes du père, effet de la réactivation de ses propres conflits infantiles. Parfois, l'expulsion de l'enfant dans ce contexte peut agir comme un harpon pour retenir le partenaire dont les attitudes ne correspondent pas aux attentes de la partenaire. Il est aussi possible que, dans certains cas, la force de l'alliance paternelle puisse aider la femme à mener à bien sa grossesse, même si l'enfant vient au monde prématurément.❖

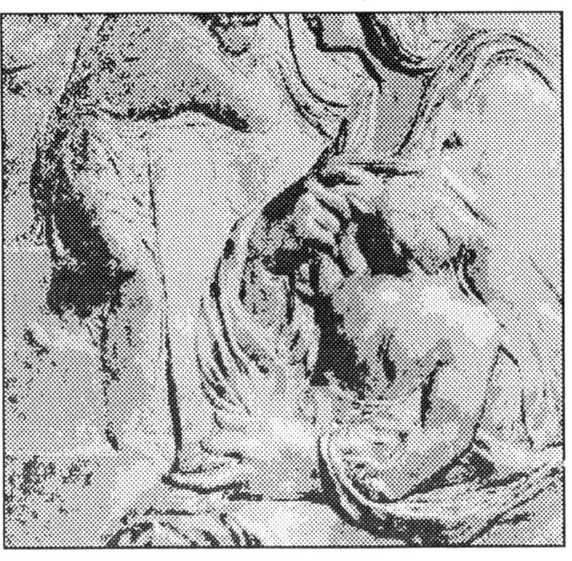

Michelangelo, 1504, **La Madonne des escaliers**

In this article, the authors present a literature review as well as their personal hypotheses regarding the influence of the father-to-be on the evolution of his spouse's pregnancy. The literature review focuses on the pre-natal environment and its subsequent influence on the evolution of the pregnancy, with particular emphasis given to studies dealing with prematurity. The relationship between the couple is also examined, as well as the transformation of the couple into a family, which occurs with the arrival of a newborn, a transformation which, quite possibly, begins prior even to the conception itself.

Références

Blau A, Slaff B, Easton D, Welkowitz J, Cohen J. The psychogenic etiology of premature births: a preliminary report. **Psychosom Med** 1963;25:201-211.

Bouchart-Godard A. Etrange en somme. **Cahiers Nouveau-né** 1983;6:97-105.

Bréart G, Hennequin JF, Crost De Niel M, Rumeau-Rouquette C. Etude de l'insuffisance pondérale à la naissance. **Arch Fr Pediatr** 1977;34:CCXXI-CCXXXII.

Cerutti GB. Importance des facteurs psychiques dans la grossesse prolongée. **Rev Med Psychosom** 1962;4:11-12.

Cohen RS, Weissman SH. The parenting alliance. In: Cohen RS, Cohler JC, Weissman SH, eds. **Parenthood: a psychodynamic perspective.** New York: Guilford Press, 1980.

Cole, DA. **Some emotional factors in couples presenting a pattern of habitual abortion.** [Ph.D. dissertation]. Syracuse, NY: Syracuse University, 1958. (Cité par AJ. Ferreira, 1969)

Colin M. **Rôle de la dynamique de couple dans le déclenchement de la grossesse suivi d'IVG.** Paris: Association française des centres de consultation conjugale, 1988.

Crnic KA, Greenberg MT, Ragozin AS, Robinson NM, Basham RB. Effects of stress and social support on mothers and premature and full term infants. **Child Dev** 1983;54:209-217.

Deutsher M. Identity transformation in the course of expectant fatherhood. **Contemp Psychoanal** 1981;17:158-171.

Dreyfus J. **La prévention sur le terrain: évolution décennale en fonction des facteurs médicaux et sociaux.** Strasbourg: Colloque INSERM, 1981.

Estryn M, Kaminski M, Franc M. Fermand S, Gerstle F. Grossesse et conditions de travail en milieu hospitalier. **Rev Fr Gynecol** 1978;73:625-631.

Ferreira AJ. Emotional factors in the prenatal environment. **Rev Med Psychosom** 1962;4:16-17.

Ferreira AJ. Family myths: the covert rules of the relationship. **Confin Psychiatr** 1965;8:15-20.

Ferreira AJ. Family myths **Psychiatr Res Rep** 1966;20:85-90.

Ferreira AJ. **Prenatal environment.** Springfield: Charles C. Thomas, 1969.

Gurwitt A. Aspects of prospective fatherhood. **Psychoanal Study Child** 1976;31:237-271.

Herzog JM. Patterns of expectant fatherhood: a study of the fathers of a group of premature infants. In: Cath SH. et al. **Father and child.** Boston: Little Brown, 1982:301-314.

Javert CT. Repeated abortion: results of treatment in 100 patients. **Obstet Gynecol** 1954;3:420-434.

Kaminski M. et al. Issue de la grossesse et surveillance prénatale chez les femmes migrantes. **Rev Epidemiol Santé Publique** 1978;26:29.

Kennedy JC. The high risk maternal-infant acquaintance process. **Nurs Clin North Am** 1973;8:549-557.

Kroger WS, De Lee ST. The psychosomatic treatment of hyperemesis graviderum by hypnosis. **Am J Obstet Gynecol** 1946;51:544-552.

Krymko-Bleton I. Prenatal problems of future fathers. In: Fedor- Freybergh PG, Vogel ML. Eds. **Prenatal and perinatal psychology and medicine: encounter with the unborn.** Park Ridge: Parthenon NJ, 1988.

La Vaguerèse L. Eléments pour une approche psychanalytique du problème des prématurés et de la médecine de réanimation néonatale. Thèse de doctorat en médecine, citée dans **Cahiers Nouveau-né** 1983;6.

La Vaguerèse L. Le symptôme-prématurité. **Cahiers Nouveau-né** 1983;6:69-76.

Mamelle N. La prématurité, un fléau social: mythe ou réalité? **Cahiers Nouveau-né** 1983;6:39-53.

Mazzochi ES. The role of emotional and social support to pregnant teenagers. In: Fedor-Freybergh PG, Vogel ML. Eds. **Prenatal psychology and medicine: encounter with the unborn.** Park Ridge: Parthenon NJ, 1988.

Menninger WC. Emotional factors in pregnancy. **Bull Menninger Clin** 1943;7:15-24.

Newton N. Emotions of pregnancy. **Clin Obstet Gynecol** 1963;6:639- 668.

Odent M. Prématurité et respect du symptôme. **Cahiers Nouveau-né** 1983;6:31-36.

Offerman-Zuckerberg J. Psychological warning signals regarding pregnancy. In: Blum BL. Ed. **Psychological aspects of pregnancy, birthing and bonding.** New York: Human Sciences Press, 1980.

Papiernik E. Prévention de la prématurité. **Cahiers Nouveau-né** 1983;6:25-31.

Patterson V, Block J, Jackson DD. The relation between intention to conceive and symptoms during pregnancy: a preliminary report. **Psychosom Med** 1960;22:373-376.

Peterson G. Prenatal bonding, prenatal communication and the prevention of prematurity. **Pre Perinatal Psychol J** 1987;2:87-92.

Ramsey CH, Abell T, Baker L. The relationship between family functionning, life events, family structure and the outcome of

pregnancy. **J Fam Pract** 1986;22:521-527.
Richardson P. Women's important relationships during pregnancy and the preterm labor event. **West J Nurs Res** 1987;9:203-218.
Ritson EB. An investigation of the psychological factors underlying prolonged labor. **J Obstet Gynaecol Br Commonw** 1966;73:215 -221.
Rothman D, Kaplan AH. Psychodynamic of habitual abortion: report of 3 cases treated with psychotherapy. **Obstet Gynecol**1965;25:457-462.
Saucier JF. Essai sur la prévention chez le nourrisson. **Actual Psychiatr** 1983;13(9):62-70.
Siefert K, Thompson T, Ten-Bensel R, Hunt C. Perinatal stress: a study of factors linked to the risk of parenting problems. **Health Soc Work** 1983;8:107-121.
Sontag LW, Wallace RF. Study of fetal activity. **Am J Dis Child** 1934;48:1050-1057.
Squier R, Dunbar F. Emotional factors in the course of pregnancy. **Psychosom Med** 1946;8:161-175.
Trethoven HW. Le syndrome de la couvade. In: **Les pères d'aujourd'hui.** Paris: Ed. INED, 1965:112-115.
Wortis H. Discussion of "maternal reactions to premature birth" viewed as an acute emotional disorder, by Kaplan and Mason. **Am J Orthopsychiatry** 1960;30:539-551.

Giovanni Bellini, 1450, **La Présentation au Temple**

L'auteur fait le point des recherches récentes dans le domaine de la première enfance. Il rappelle que les premières hypothèses psychanalytiques étaient fondées sur la reconstruction de la première enfance à partir de psychanalyses d'adultes ou d'enfants plus âgés, bien qu'assez rapidement, certains psychanalystes d'enfants - particulièrement Anna Freud, René Spitz et John Bowlby - ont voulu utiliser l'observation directe comme instrument de connaissance. Ainsworth et ses collaborateurs, voulant confirmer certaines hypothèses de Bowlby ont mis en évidence les liens étroits entre les relations mère-enfant établies durant la première année et les manifestations de sécurité ou d'angoisse retrouvées à l'âge d'un an. D'autres travaux récents montrent une grande continuité entre ces observations faites à un an et celles faites des mêmes enfants jusqu'à l'âge de six ans.

Mais que devient l'imaginaire dans ces recherches où les comportements semblent seuls significatifs? A travers plusieurs recherches autour du concept d'attachement, des liens apparaissent évidents entre l'imaginaire des parents et les interactions établies avec leur enfant. L'auteur résume ensuite de nombreux travaux portant sur l'interaction parent-enfant qui démontrent la possibilité, par des interventions suivies et précoces, de briser la tendance à la répétition des mécanismes mis en place tout au cours du développement. Selon l'auteur, ces travaux de nature expérimentale et observationnelle viennent confirmer les hypothèses psychanalytiques concernant l'importance des premières relations de l'enfant avec son environnement pour le développement futur de sa personnalité.

La première enfance: où en sommes-nous?

Yvon GAUTHIER

L'auteur est pédopsychiatre, psychanalyste, responsable de la recherche au Département de psychiatrie de l'hôpital Sainte-Justine et professeur titulaire au Département de psychiatrie de l'Université de Montréal.

Au cours de la dernière décade, un grand nombre de recherches semblent de plus en plus confirmer le concept de l'influence majeure de la première enfance sur le développement futur de la personnalité. Où en sommes-nous vraiment? Peut-on maintenant affirmer que les premiers liens que l'enfant établit avec son milieu jouent un rôle primordial dans son développement affectif et tout son devenir? Sans doute, depuis les tout débuts de la psychanalyse, les expériences infantiles étaient apparues comme fondamentales dans le développement futur de la personnalité. Très tôt, les premiers stades du développement - oral, anal, phallique - avaient été décrits, mais on mettait, alors, l'accent plutôt sur les aspects instinctuels - sexuels - de ces expériences, et très peu sur les aspects relationnels. Et c'est seulement dans une de ses dernières oeuvres que Freud reconnaissait l'importance de la mère en écrivant: "... c'est dans ces deux relations (avec le sein... et le corps de l'enfant) que réside la racine de l'importance de la mère, unique, sans parallèle, inaltérablement établie pour toute la vie comme objet d'amour premier et le plus fort et comme le prototype de toutes les relations amoureuses futures." (1940, p.188; ma traduction).

Après les premiers questionnements sur le rôle et l'importance du milieu extérieur sur le façonnement de l'instinct, on sait la réponse que Freud finalement apportait à la question: "l'abus sexuel est-il vraiment aussi fréquent que les patients le rapportent, ou s'agit-il de relations imaginaires?" Freud découvre le rôle essentiel du fantasme œdipien et, dorénavant, la psychanalyse trouve ses fondements dans l'imaginaire.

Mélanie Klein ira encore plus loin et mettra l'accent sur la fantasmatique interne précoce. Selon elle, l'œdipe prend sa place dans le courant de la première année, et toute la vie intérieure du très jeune enfant s'organise autour de l'agression projetée et réinternalisée, avec tous les sentiments de jalousie et d'envie qui s'ensuivent, comme si l'objet n'avait à peu près aucune influence réelle sur l'enfant et qu'il n'était que prétexte au déroulement de ces affects intenses et complexes.

Il ne faut pas oublier que toute cette époque de l'histoire de la psychanalyse est fondée sur la **reconstruction** des premières étapes du développement, à partir du discours adulte. Mais aussi, en relation étroite avec cette méthode, assez rapidement apparaît la préoccupation de connaître le jeune enfant à travers **l'observation directe** dans le milieu naturel où il vit et se développe. C'est ainsi que Anna Freud, avec quelques collègues viennois, fonde en 1938 une "garderie" qui reçoit un certain nombre d'enfants des milieux les plus pauvres de Vienne. Malheureusement, à cause de l'occupation nazie, cette expérience ne durera qu'un an: Anna Freud suivra son père et émigrera à Londres. Mais ce sera rapidement la guerre, et Anna Freud se trouve à nouveau en position d'observer de jeunes enfants soumis à des conditions traumatiques. Elle fonde alors,avec Dorothy Burlingham, une "war nursery", source de fascinantes observations qui seront éventuellement publiées dans un petit livre toujours actuel *Infants without families* (1944). Anna Freud voulait confirmer par de telles observations les premières hypothèses élaborées à partir des psychanalyses d'adultes et d'enfants plus âgés; et je crois que l'on trouve dans ces premières expériences les véritables origines de l'importance accordée au très jeune enfant dans son milieu, et à toutes les circonstances qui peuvent influencer son développement.

René Spitz poursuivra lui aussi des travaux importants sur le développement précoce de l'enfant et c'est à la suite de ses observations qu'il décrira l'"hospitalisme", la "dépression anaclitique" et les symptômes qui de diverses façons constituent la carence affective. On sait combien ses films sur "les enfants de l'hospitalisme" ont contribué à faire graduellement disparaitre les "crèches" où s'entassaient alors les enfants abandonnés avant de pouvoir être adoptés. Son influence a été majeure dans la prise de conscience de l'importance des toutes premières années pour le développement du moi de l'enfant.

John Bowlby, sensibilisé à tout le monde de la carence affective par ses travaux sur la délinquance, se tourne aussi vers l'observation de jeunes enfants séparés de leur milieu familial, et avec John et Joyce Robertson il produit plusieurs films importants sur ce type d'expérience. Il remet graduellement en question certains aspects de la théorie psychanalytique, en particulier que le premier lien de l'enfant avec sa mère serait exclusivement de nature orale. Il se penche sur la notion de deuil chez l'enfant et, à la lumière des observations des éthologistes, il développe sa théorie de l'attachement qui marque, sans doute, un tournant majeur vers la compréhension du rôle de l'interaction mère-enfant dans le développement de l'enfant.

Heureusement, et malgré les réticences de plusieurs, la théorie de Bowlby n'est pas restée lettre morte. Certains chercheurs expérimentalistes ont voulu vérifier la conceptualisation autour de l'attachement et c'est Mary Ainsworth qui, en développant un instrument de recherche très spécifique, la "situation étrange", a permis de catégoriser des enfants dès l'âge de un an, autour du concept de sécurité (Ainsworth et al, 1978). On observe en effet que les enfants de cet âge, selon le degré de sensibilité maternelle à leurs désirs et à leurs signaux, et en corrélation très étroite avec le type d'interaction qui s'est développé tout au long de la première année, manifestent au moment de la réunion avec leur mère après une courte séparation, soit leur sécurité, ou au contraire leur anxiété en se cramponnant à elle ou en l'évitant. Il est clair - et c'est un des points forts de ces travaux - que ces manifestations de sécurité ou de défense contre l'angoisse sont en étroite relation avec ce qui s'est passé entre l'enfant et sa mère au cours de la première année. Il existe une étroite relation entre ces manifestations de sécurité ou d'angoisse et la capacité de l'enfant d'explorer le monde extérieur, l'exploration se fait à partir de cette "base de sécurité" que représente la mère pour lui. Comme Bowlby (1988) l'écrit: "Aucun concept, à l'intérieur du système d'attachement, est plus central à la psychiatrie développementale que celui de 'base de sécurité'."

Mais que deviennent ces enfants, et peut-on commencer de vérifier l'hypothèse psychanalytique que les solutions trouvées précocement par l'enfant pour faire face à l'angoisse sont les mêmes que l'on retrouve plus tard? Ou doit-on penser comme certains développementalistes

(Clarke et Clarke,1977; Kagan,1978) qu'il y a discontinuité entre l'enfance et le devenir futur?

Dans plusieurs recherches américaines récentes, les mêmes enfants d'abord vus à l'âge de un an, sont revus à l'âge de la maternelle ou au début de l'âge scolaire. L'éclairage que ces travaux apportent semble aller dans le sens de la continuité. Pour Sroufe et al. (1983), le type d'attachement retrouvé à 12 mois est fortement prédictif des comportements observés à 3 ans 6 mois: on retrouve ces enfants joyeux, pleins de ressources et capables de faire face à des situations difficiles s'ils étaient sécures à 1 an, ou au contraire hostiles, renfermés, antisociaux s'ils étaient anxieux-résistants, ou tendus, impulsifs et à la recherche d'attention excessive s'ils étaient anxieux-évitants. Des observations faites par Main et al (1985) d'enfants vus à un an et revus à l'âge de 6 ans, vont dans la même direction.

Il est vrai que la recherche n'est pas terminée puisque ces enfants n'ont été observés que jusqu'à 6 ans. Mais ces chercheurs se situent clairement dans la lignée de ceux qui émettent l'hypothèse que les "modèles intérieurs" de Bowlby (1988) ont tendance à s'auto-perpétuer. Mais aussi, comme le note très précisément Bowlby (1988), ces changements sont très possibles dans un sens ou dans l'autre selon les modifications de l'environnement ou sous l'influence d'un travail psychothérapeutique.

Certains ont craint que ces travaux de nature expérimentale, en mettant nécessairement l'accent sur l'observation de comportements, auraient pour effet d'évacuer l'essentiel de la psychanalyse: l'imaginaire. C'est sans doute sous l'influence de cette crainte que de plus en plus de chercheurs, cliniciens et expérimentalistes, ont tenté de retrouver le rôle majeur du fantasme dans la mise en place de l'interaction parent-enfant. C'est ainsi que les travaux de Cramer et Stern (1988) ont mis en lumière, et ont quantifié, les modifications obtenues dans une psychothérapie brève d'une pathologie mère-enfant, et démontré que l'exploration de l'imaginaire de la mère pouvait amener des changements significatifs dans ses interactions avec son enfant et des modifications des comportements de celui-ci. Des travaux plus systématiques sont actuellement en cours à Genève où une telle approche psychodynamique est comparée à une approche plus éducative (Cramer et al, 1990).

Des chercheurs américains, à l'aide d'un nouvel instrument, le "Adult Attachment Interview" (AAI), tentent de découvrir les patterns d'attachement développés par les parents depuis leur tendre enfance et qu'ils sont amenés à revivre avec leurs propres enfants. Ainsi Main et al (1985), dans leur étude sur le développement de l'attachement entre un an et six ans, ont trouvé des corrélations particulièrement élevées entre la sécurité observée chez l'enfant et la sécurité implicite de la mère en relation avec ses "expériences, émotions et idées d'attachement" (r= .62, p< .001). Chez le père les corrélations sont moins fortes (r= .37, p< .05). Et chez les parents dont l'expérience d'attachement est mal intégrée, les auteurs observent des restrictions placées sur l'attention et la transmission d'information, sous forme d'incohérence dans le langage et d'instabilité dans les comportements. D'autres auteurs ont démontré des liens étroits entre les représentations d'attachement des parents et leur capacité d'accordage ou leur comportement interactionnel avec leur jeune enfant (Haft et Slade, 1989; Crowell et Feldman, 1989).

Si l'on voit de mieux en mieux l'influence primordiale des premiers liens sur le développement futur de l'enfant, et cette tendance à la répétition dans l'interaction mère-enfant de ce qui s'est passé pour elle dans ses toutes premières relations, peut-on intervenir pour briser cette répétition, et comment?

Les travaux de Selma Fraiberg et al (1975, 1980) nous faisaient découvrir que les individus soumis à des privations affectives précoces étaient grandement à risque, au moment où ils devenaient parents, de répéter les conditions d'élevage traumatiques qu'ils avaient eux-mêmes connues. Ces auteurs nous décrivaient aussi que des techniques psychothérapeutiques dynamiques, très respectueuses des défenses de ces jeunes parents et faites sur place, à la maison, conduisaient à des progrès intéressants dans la découverte d'une compétence parentale inespérée, et à la reprise du développement psycho-affectif de l'enfant. Et ils émettaient finalement l'hypothèse que certains de ces parents carencés pouvaient s'en sortir: s'ils n'avaient pas réprimé les affects intenses vécus dans leur enfance et s'ils pouvaient se souvenir non seulement des circonstances traumatiques, mais aussi des émotions associées à ces événements souvent tragiques.

Houzel et Bastard (1988) décrivent une expérience assez semblable faite à Brest où des intervenants en viennent à aider de jeunes parents dont l'interaction très problématique avec leur jeune enfant conduit à divers troubles du développement. Et c'est l'éclairage psychanalytique transmis dans des discussions hebdomadaires de ces cas qui permet une évolution favorable. Stoleru et Morales-Huet (1989) ont eux aussi publié leur expérience assez fascinante de tentative de rejoindre et de suivre sur une période de 2-3 ans des familles des milieux parisiens les plus démunis, et dont tous les moyens défensifs sont organisés pour refuser l'aide qui leur est offerte. A partir d'un dépistage fait par des sage-femmes en période de grossesse, une psychothérapie précoce de la relation mère-enfant conduit à l'établissement de relations de confiance et de là, à un développement beaucoup plus favorable de l'enfant.

Un grand nombre de chercheurs américains au cours de la dernière décennie ont voulu évaluer les résultats d'interventions précoces. Dans un texte très récent, Heinicke et al (1988) ont fait une revue de 30 de ces travaux et ont fait ressortir les caractéristiques communes de ceux qui présentent des résultats positifs: il y a des résultats intéressants (au moins 1 résultat positif dans 75% des études) et même remarquables (plus de 3 effets positifs), à condition que les contacts commencent tôt (avant l'âge de 3 mois, le plus souvent dès la naissance), durent au moins 3 mois, et qu'il y ait au moins 11 contacts avec la famille. L'élément essentiel est donc la création de conditions qui permettent l'établissement d'une relation de confiance entre la personne visée - le plus souvent la mère - et l'intervenant.

Tous ces travaux, très brièvement présentés, nous démontrent clairement que les reconstructions psychanalytiques concernant l'importance des premières relations sont de plus en plus confirmées par des travaux de nature observationnelle et expérimentale. On peut maintenant affirmer que les premiers liens que l'enfant établit avec son milieu - particulièrement avec sa mère - sont fondamentaux et exemplaires du mode de relation privilégié qu'il développera plus tard avec ses pairs, ses éducateurs, son conjoint et ses propres enfants. Et on peut aussi dire que si l'on intervient précocement dans les situations où l'interaction parents-enfants semble se mettre en place difficilement, les résultats sont souvent positifs, même en milieu à haut risque.

Il faut pourtant demeurer prudent dans les prédictions que nous aimerions pouvoir faire, à partir d'observations faites en bas âge. Car non seulement l'environnement n'est pas invariable mais on doit être conscient que chaque jour l'enfant interprète ou construit la réalité à sa façon et qu'il peut devenir un adolescent ou un adulte tout autre que la prédiction que l'on aura pu faire à son sujet. Certains enfants sont dits "invulnérables" ou "invincibles" (Werner et Smith, 1982), un certain nombre semblent donc se tirer indemnes de conditions d'élevage très traumatiques, mais on ne doit pas oublier que ces enfants sont une petite minorité: nous devons intervenir très précocément pour créer des conditions relationnelles les plus chaleureuses et les plus solides possibles car les indications scientifiques de plus en plus nombreuses nous le confirment: **les premières années sont déterminantes pour l'avenir relationnel de chaque enfant.** ❖

In this article the author discusses studies which deal with the importance of early childhood on later personality development. Other works, showing a link between parental imaginings rebonding and the actual parent-child interactions, are also discussed. Lastly, the author summarizes studies which show that early intervention can break the tendency towards repetition in parent-child interactions.

Références

Bowlby J. Developmental psychiatry comes of age. **Am J Psychiatry** 1988;145:1-10.

Clarke AM, Clarke ADB. **Early experience: myth and evidence.** New York: Free Press, 1977.

Cramer B, Stern D. Evaluation of changes in mother-infant brief psychotherapy: a single case study. **Infant Ment Health J** 1988;9:20-45.

Cramer B, et al. Outcome evaluation in brief mother-infant psychotherapy: a preliminary report. **Infant Ment Health J** 1990;11:278-300.

Crowell JA, Feldman S. Assessment of mothers' working models of relationships: some clinical implications. **Infant Ment Health J** 1989;10:173-184.

Fraiberg S, Adelson E, Shapiro V. Ghosts in the nursery: a psychoanalytic approach to the problems of impaired infant- mother relationships **J Am Acad Child Psychiatry** 1975;14:387 -422.

Fraiberg S. **Clinical studies in infant mental health: the first year of life.** New York: Basic Books, 1980

Freud A, Burlingham DT. **Infants without families.** New York: International Universities Press, 1944.

Freud S. **An outline of psychoanalysis.** Standard Edition, vol 23, 1940.

Haft WL, Slade A. Affect attunement and maternal attachment: a pilot study. **Infant Ment Health J** 1989;10:157-172.

Heinicke C, Beckwith L, Thompson A. Early intervention in the family system: a framework and review. **Infant Ment Health J** 1988;9:111-141.

Houzel D, Bastard A. Traitements à domicile en psychiatrie du nourrisson. In: Cramer B, éd. **Psychiatrie du bébé.** Paris: Edition Eshel, 1988:101-117.

Kagan J, Kearsley R, Zelaso P. **Infancy: its place in human development.** Cambridge: Harvard University Press, 1978.

Main M, Kaplan N. Cassidy J. Security in infancy, childhood and adulthood: a move to the level of representation. In: Bretherton I, Waters E, Eds. **Growing points of attachment: theory and research.** (Monographs of the Society for Research in Child Development; 50:1/2, no. 209). Chicago: University of Chicago Press, 1985.

Sroufe LA, Fox N, Pancake V. Attachment and dependency in a developmental perspective. **Child Dev** 1983;54:1615-1627.

Stoleru S, Morales-Huet M. **Psychothérapies mère-nourrisson dans les familles à problèmes multiples.** (Fil rouge). Paris: PUF, 1989.

Werner EE, Smith RS. **Vulnerable but invincible: a longitudinal study of resilient children and youth.** New York: McGraw-Hill, 1982.

Raphaël, 1508, **La Vierge Niccolini**

P.R.I.S.M.E. automne 1991, vol. 2, no 1

Odette Bernazzani
Pierre Miron
Jean-François Saucier
Marcel Hudon
Jacques Gagnon
Jacques Bourque
Tommaso Falcone
Robert Hemmings
Louis Granger

RÉFLEXION SUR LE SECRET ENTOURANT LE DON DE SPERME

Odette **Bernazzani** est psychiatre et chercheure clinicienne à l'hôpital Maisonneuve-Rosemont. Responsable de la consultation-liaison en fertilité et obstétrique à l'hôpital Maisonneuve-Rosemont, elle est également consultante auprès de l'Institut de médecine de la reproduction de Montréal.

Pierre **Miron** est gynécologue-obstétricien, directeur de l'Institut de médecine de la reproduction de Montréal et chef du service de fertilité de l'hôpital Maisonneuve-Rosemont. Jean-François **Saucier**, Marcel **Hudon** et Jacques **Gagnon** sont psychiatres. Jacques **Bourque**, Tommaso **Falcone**, Robert **Hemmings** et Louis **Granger** sont gynécologues-obstétriciens.

L'insémination thérapeutique avec donneur (ITD) se trouve au centre du débat social actuel sur les techniques de procréation médicalement assistée. Il s'agit d'une pratique médicale effectuée en clinique de fertilité dont l'indication principale demeure l'infertilité masculine. La technique, en elle-même, consiste à déposer du sperme au niveau du vagin ou de l'utérus de la femme. Le sperme qui provient d'un donneur a été préalablement congelé pendant plusieurs mois afin de réduire le risque de maladies transmises sexuellement, en particulier le Syndrome d'immuno-déficience acquise (SIDA). Le donneur recruté attentivement par la clinique de fertilité doit subir, avant son acceptation, une investigation médicale approfondie. Au Québec, la pratique de l'ITD est encadrée par l'anonymat i.e. le couple receveur ne peut avoir accès à l'identité du donneur et vice versa.

Trop souvent confondue avec l'anonymat du donneur, la question du secret sur le mode différent de conception vient alimenter la controverse actuelle au sujet de l'ITD. Nous employons ici le terme "secret" pour désigner la non divulgation à l'entourage et à l'enfant-à-venir du recours au don de sperme. Les effets à long terme de ce secret sur l'évolution de la cellule familiale demeurent encore inconnus. Par ailleurs,

L'insémination thérapeutique avec donneur (ITD) est une pratique médicale dont l'indication principale est l'infertilité masculine. L'objectif de cet article est de présenter nos observations sur l'ampleur et le sens du secret entourant l'ITD. Ces observations sont tirées de 65 entrevues cliniques effectuées auprès de patients inscrits à l'ITD. Deux facteurs principaux nous semblent contribuer à ce secret: 1) la difficulté des conjoints à intégrer émotionnellement l'infertilité masculine 2) la difficulté des couples à situer le conjoint de la femme comme le "vrai" père de l'enfant. Les valeurs sociales spécifiques susceptibles d'influencer ces facteurs seront abordées dans la discussion.

la nécessité d'une compréhension plus approfondie de ses motivations sous-jacentes nous apparaît évidente. Notre étude vise à cerner davantage l'ampleur et le sens du secret entourant le don de sperme. Les observations présentées dans cet article sont tirées de 65 entrevues cliniques effectuées auprès de sujets inscrits à l'ITD.

MÉTHODE

Trente et un couples et 34 femmes rencontrées sans leur conjoint, ont été interviewés au moment de leur inscription à un programme d'ITD. Le contenu de l'entrevue semi-structurée portait sur trois aspects spécifiques: 1) l'impact émotionnel de l'infertilité 2) le cheminement psychologique conduisant au choix de l'ITD 3) l'attitude face au secret. Chaque femme rencontrée seule a été questionnée en profondeur sur le vécu et les réactions de son conjoint. Lors de ces entrevues en individuel, nous avons évalué l'attitude et les opinions du conjoint en fonction des informations fournies par sa femme.

RÉSULTATS

AMPLEUR DU SECRET

Près de 70% des couples ont avisé au moins un membre de l'entourage de leur décision de recourir à l'ITD (Tableau I).

La majorité d'entre-eux (73%) en ont fait la confidence à trois personnes ou plus. Nous observons une certaine tendance à la divulgation aux membres de la famille immédiate, en particulier

TABLEAU I

Divulgation à un tiers du recours à l'ITD

	NB couples
NON	20 (30.8%)
OUI	45 (69.2%)
TOTAL	65

à l'un ou aux deux parents de la femme. La confidence est élargie à un ou une amie dans la moitié des cas. Malgré tout, plus de 30% des couples gardent une attitude de secret complet vis-à-vis de l'entourage.

Le tableau 2 indique l'opinion des conjoints sur la révélation éventuelle à l'enfant du recours à l'ITD. Les femmes et les hommes expriment beaucoup de réticences voire d'opposition concernant cette révélation. Par ailleurs, il existe une différence statistiquement significative entre l'opinion des hommes et celle des femmes ($p = 0.05$). Ces dernières expriment davantage une opinion incertaine tandis que celle des hommes est plus tranchée -soit en faveur ou en défaveur de la révélation. Six femmes, rencontrées seules, ont été incapables de fournir une indication sur l'opinion probable de leur conjoint, n'ayant jamais discuté de ce sujet avec lui.

SENS DU SECRET

Nous avons identifié deux facteurs contributifs principaux au développement et au maintien du secret: 1) une difficulté à intégrer émotionnellement le problème d'infertilité masculine 2) une difficulté à situer le conjoint de la femme comme le "vrai" père de l'enfant-à-venir.

1) Difficulté à intégrer émotionnellement le problème d'infertilité masculine

La découverte d'une infertilité masculine suscite des sentiments conflictuels variés chez les deux conjoints. Mentionnons deux vignettes cliniques très révélatrices:

Madame X rapporte le vécu du couple face à l'infertilité. "Nous avons reçu la nouvelle comme un choc. L'annonce de l'infertilité de mon mari était pour nous l'équivalent d'un deuil... Au début, mon mari s'est replié sur lui-même. Il évitait mes tentatives d'aborder le sujet. Maintenant, il m'en parle plus facilement. Il lui arrive encore de dire, de temps en temps, lorsqu'il fait face à une frustration: De

TABLEAU 2

Opinion sur la divulgation à l'enfant de l'^†∂

	FEMMES (NB)		HOMMES (NB)	
OUI (souhaite révéler)	15	} (30.8%)	15	} (33.8%)
PLUTOT OUI (s'oriente vers la révélation mais avec hésitations)	5		7	
INCERTITUDE (ne sait pas, trop d'hésitations)	15	(23.1%)	4	(6.2%)
PLUTOT NON (s'oriente vers le non révélation mais avec hésitations)	11	} (46.1%)	9	} (50.8%)
NON (ne souhaite pas révéler)	19		24	
INFORMATION NON OBTENUE	0		6	(9.2%)

toute façon, je ne suis bon à rien, je ne suis même pas capable de faire des enfants."

Monsieur B avoue se sentir atteint dans sa virilité. Il verbalise sur sa perception de son infertilité. "Si j'avais eu une autre maladie, cela aurait été sûrement moins blessant pour moi, moins gênant. Je me sens diminué, j'ai l'impression d'être handicapé... Je ne m'imagine pas en train d'annoncer mon infertilité à ma famille ou mes amis. Je me sentirais trop amoindri; j'aurais trop peur d'être blessé par des paroles irréfléchies".

En plus d'être confronté à un sentiment de perte importante, le conjoint porteur du problème fait habituellement face à des émotions confuses qui indiquent l'atteinte de son estime de lui-même (honte, sentiment d'échec et/ou d'infériorité). La conjointe peut se sentir coincée entre sa propre frustration et son désir d'encourager le conjoint, perçu comme fragile ou amoindri. La résolution incomplète de tels sentiments chez le couple, surtout chez le conjoint infertile, fait naître le désir de dissimuler l'infertilité masculine et, par le fait même, le recours à un donneur. Ce désir se traduit par des propos centrés sur la nécessité de soustraire le conjoint aux commentaires potentiellement blessants de l'entourage et de ménager son estime de lui-même.

2) Difficulté à situer le conjoint de la femme comme le "vrai" père de l'enfant.

Quelques vignettes cliniques illustrent les inquiétudes générales des couples face à la révélation à l'enfant de l'ITD:

Ainsi, Monsieur C explique: "Pourquoi dire à notre enfant que je ne suis pas son père? Quel bien cela va-t-il lui faire? Aucun... et par contre, je vois de grands risques de le traumatiser".

Monsieur et Madame T expriment leur avis: "Si nous le disions à notre enfant, nous pourrions susciter des doutes dans son esprit; il chercherait à savoir qui est son vrai père, où il est et tenterait peut-être même de le retrouver".

Monsieur P mentionne spontanément: "Nous ne voulons pas prendre le risque de voir notre enfant mêlé ou partagé. On ne sait jamais... Dans sa période d'adolescence, si je lui imposais des limites, il pourrait me rejeter ou me dire que je ne suis même pas son vrai père".

De façon générale, en discutant de la révélation à l'enfant-à-venir, les couples mentionnent spontanément: "Nous ne voyons pas ce que ça peut lui apporter". Toutefois, derrière ce commentaire se cache clairement l'inquiétude qu'en plus de ne rien lui apporter, cette révélation risque sérieusement de lui nuire. Elle lui nuirait dans la mesure où elle introduirait chez lui une confusion intense quant à l'identité de son "vrai" père, à savoir, le conjoint de la mère versus le donneur.

En recourant à l'ITD, chaque couple est confronté à la tâche complexe de redéfinir le sens de la paternité et la place symbolique du géniteur. L'anticipation d'une confusion intense chez l'enfant quant à l'identité de son "vrai" père dénote la propre difficulté des couples à situer le conjoint de la femme comme le "vrai" père de l'enfant. Les couples entrevoient souvent la révélation à l'enfant comme l'annonce que le conjoint de sa mère n'est pas son "vrai" père. Ils font, de façon plus ou moins consciente, une distinction entre le père et le "vrai" père d'un enfant. Ce dernier demeure, de façon implicite ou explicite, celui qu'ils nomment le "père" biologique.

DISCUSSION

Plusieurs auteurs ont déjà souligné le lien entre la difficulté à intégrer émotionnellement l'infertilité et la genèse du secret [1-6]. Mentionnons les observations de Cahen et Gelber [3] qui nous apparaissent résumer celles de nombreux autres auteurs:

"Pour l'homme, ne pas parler du recours à l'ITD peut être une façon de nier la blessure narcissique que représente sa stérilité. Le silence peut permettre d'éviter de faire le deuil de sa fécondité... Il vaut mieux "faire semblant" que tout est réparé..."

Par ailleurs, il faut rappeler que l'impact d'un problème d'infertilité masculine sur le plan individuel se situe dans le contexte plus global d'une stigmatisation sociale de l'infertilité masculine. La fécondité masculine est très souvent associée à la virilité et à la valeur personnelle. Snowden et Snowden [6] attribuent principalement le secret à la crainte d'une telle stigmatisation et au désir de l'éviter.

Cette difficulté à intégrer l'infertilité, bien que non négligeable, nous apparaît insuffisante pour rendre compte du secret. Manuel [7] a déjà noté chez plusieurs couples l'équivalence symbolique entre la révélation et le désaveu de la paternité. De la même façon, l'écoute attentive des motifs et des craintes exprimés par les couples nous révèle leur difficulté à situer le conjoint de la femme comme le "vrai" père de l'enfant. Peu d'auteurs ont exploré, jusqu'à maintenant, le rôle de cette difficulté dans l'éclosion du secret. Parmi ceux-ci, David [4] a très justement identifié la question de la paternité comme le centre des inquiétudes des couples. Qui sera le vrai père de leur enfant?.

Plusieurs facteurs nous semblent pouvoir contribuer à ce questionnement des couples. Un facteur primordial nous apparaît être la persistance de la valorisation du lien biologique perçu implicitement comme le véritable fondement de la paternité.

Il ne faut pas oublier que les couples, malgré leur ouverture sur une définition plus affective et relationnelle de la paternité, demeurent porteurs des valeurs transmises et véhiculées dans notre société. Cette dernière continue de valoriser hautement le rôle du lien biologique, non seulement dans la définition de la véritable paternité, mais encore dans la définition des origines d'un individu et dans la formation de l'identité d'une personne. L'utilisation courante de certains mots spécifiques en est un reflet intéressant. Ainsi, les "racines" et "origines" d'un individu renvoient toujours d'emblée au lien biologique et non aux liens affectifs et sociaux [3,7-9]. Nous sommes d'avis que la difficulté à accorder la primauté aux liens affectifs et sociaux dans la définition de la "véritable" paternité est étroitement liée au secret entourant le don de sperme.

Cette difficulté présente chez les couples, de même que leur malaise face à l'infertilité masculine nous apparaissent dériver d'une difficulté et d'un malaise semblables dans notre société. En ce sens, nous nous permettons de penser que nous avons tous, en tant que membres de cette société, un rôle à jouer dans le maintien du secret des couples. En même temps, nous formulons l'espoir que nous puissions tous contribuer, un jour, à sa levée.

Remerciements

Nous tenons à remercier l'Institut de médecine de la reproduction de Montréal, la Fondation Mens Sana du département de psychiatrie de l'hôpital Maisonneuve-Rosemont et la clinique de fertilité du département d'obstétrique -gynécologie de l'hôpital Maisonneuve-Rosemont. Nous remercions mesdames Nicole Dubuc, Colette Luneau et Diane Simard leur travail secrétarial.

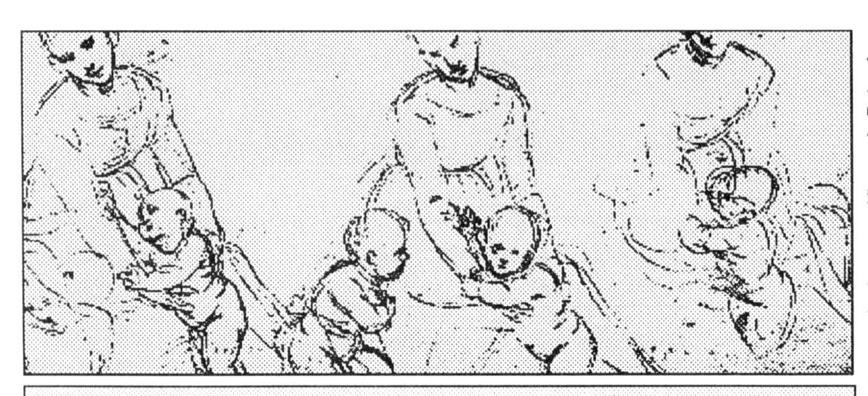

Raphaël, 1506, étude pour la Vierge de Belvedere

Therapeutic Insemination with Donor (T.I.D.) is a medical procedure indicated primarily in the case of male infertility. The aim of this article is to present observations on the meaning of secrecy in such a practise. This clinical study is based on 65 interviews with patients in a T.I.D. program. Two main factors appear to contribute to the establishment of this secret: 1) the couple's difficulty in emotionally integrating the male partners infertility, 2) the couple's difficulty in truly identifying the male partner as the "real" father. The social values which may influence these factors are examined in the discussion.

Références

1. Daniels KR. Artificial insemination using donor semen and the issue of secrecy: the views of donors and recipient couples. **Soc Sci Med** 1988;27:377-383.
2. Lasker JN, Borg S. Secrecy and the new reproductive technologies. In: Whiteford LM, Poland ML. **New approaches to human reproduction: social and ethical dimensions.** Boulder: Westview Press, 1989:133-144.
3. Cahen F, Gelber T. Le secret et l'insémination artificielle avec donneur: réflexions à partir de réunions de couples ayant recours à l'IAD. In: **Les enfants des couples stériles.** Paris: ESF, 1985:126-133.
4. David D. Aspects psychologiques. In: David et coll. **L'insémination artificielle humaine: un nouveau mode de filiation.** Paris: ESF, 1984:101-148.
5. Delaisi de Parseval G, Janaud A. **L'enfant à tout prix.** Paris: Seuil, 1983.
6. Snowden R, Snowden E. **The gift of a child.** London: George Allen and Unwin, 1984.
7. Manuel C. La révélation de son origine à l'enfant né par IAD. In: Manuel C, Czyba JC. **Aspects psychologiques de l'insémination artificielle.** Lyon: Simep, 1983:135-159.
8. Humphrey M, Humphrey H. A fresh look at genealogical bewilderment. **Br J Med Psychol** 1986;59:133-140.
9. Verdier P, Soulé M. **Le secret sur les origines: problèmes psychologiques, légaux, administratifs**. Paris: ESF, 1986.

Le Professeur Michel Soulé est psychiatre des Hôpitaux, médecin-chef depuis sa fondation en 1959 du Centre de Guidance Infantile de l'Institut de Puériculture de Paris et président de la Société française de Psychiatrie de l'enfant et de l'adolescent. Il est l'auteur de nombreux ouvrages dont "*Connaissance de l'Enfant par la psychanalyse*", (1966, 4e édition, 1988) avec Serge Lebovici, "*L'Enfant et son corps*" (1976) écrit en collaboration avec Léon Kreisler et Michel Fain, le "*Traité de Psychiatrie de l'enfant et de l'adolescent*" (1985), en collaboration avec Serge Lebovici et René Diatkine.

Il est aussi l'organisateur des Journées Scientifiques du Centre de Guidance Infantile tenues chaque année et qui font l'objet de publications aux Editions E.S.F.. Parmi les questions abordées au cours de ces journées, soulignons "*La dynamique du nourrisson*", "*Quoi de neuf, bébé?*" (1982) avec T.B. Brazelton & B. Cramer, "*Mère mortifère, mère meurtrière, mère mortifiée*" (1977), "*Le secret sur les origines: problèmes psychologiques, légaux et administratifs*" (1986) avec Pierre Verdier.

Ses prochains ouvrages à paraître dans la collection "La Vie de l'Enfant" aux Editions E.S.F.: "*Comme il vous plaira: Fille ou Garçon*", M. Soulé, ed., et "*Les traitements de la psychose infantile*", M. Soulé et B. Golse. "*La Mère qui Tricote suffisamment*" est le plus récent article de Michel Soulé paru dans Médecine et Enfance en juin 1991.

ENTREVUE AVEC le Professeur Michel SOULÉ

par Jacqueline ROYER

L'entrevue a été réalisée à Paris le 23 mai dernier par le docteur Jacqueline Royer, psychiatre à l'Hôpital de Montréal pour les Enfants et professeur adjoint de pédiatrie et de psychiatrie à l'Université McGill.

P.R.I.S.M.E.: Professeur Soulé, comment percevez-vous le défi de devenir parent en 1991?

Pr Soulé: On peut dire que depuis une vingtaine d'années, des transformations ont été imposées aux parents dans leur relation avec certains de leurs bébés. Lorsque survenaient des problèmes autrefois, ils étaient réglés par l'évolution naturelle, i.e. soit qu'ils vivaient, soit qu'ils décédaient, mais on ne pouvait rien pour ces bébés.

Par ailleurs, une baisse de la natalité a rendu

tous les nouveaux-nés beaucoup plus précieux. Les couples ont un ou deux enfants, rarement trois. On a de ce fait édicté une sorte de première loi morale, à savoir: **tous les nouveaux-nés doivent vivre**. Pour ce faire, la société, par le biais de la Sécurité Sociale, a consacré beaucoup d'argent pour mettre en place, développer et faire fonctionner des centres de néonatalogie.

Ceci est le premier point. Un bébé qui se trouve en difficulté à la naissance est pris en charge par un service extrêmement sophistiqué, des machines de plus en plus perfectionnées qui l'empêchent en quelque sorte de mourir. Dans ces services de réanimation, le nombre de bébés augmente constamment de même que le nombre de prématurés très précoces, ce qui crée des problèmes techniques et même des questions éthiques qui sont loin d'être toutes résolues.

P.R.I.S.M.E.: Quelles sont les répercussions psychologiques de cette situation sur le bébé?

Pr Soulé: Ce nouveau-né qui n'est encore qu'un foetus, qui n'a pas la maturité ni les caractéristiques d'un bébé, vit dans des conditions tout à fait anormales. Il est en assistance; branché et nourri, on respire même à sa place. Que vit ce bébé? On en sait peu de choses. On essaie cependant d'aménager et d'humaniser les conditions dans lesquelles il se trouve et de faire en sorte qu'il ne souffre pas trop. L'observation du bébé en réanimation ou du bébé prématuré représente donc un nouveau champ de travail très important qui débouche sur une nouvelle clinique et qui conduit sur le plan pragmatique à préconiser telle ou telle recommandation pour la vie du bébé.

P.R.I.S.M.E.: Que ressentent les parents du bébé en réanimation?

Pr Soulé: Il est certain qu'ils ont à vivre une situation tout à fait anormale, expérimentale en quelque sorte, puisque jamais dans l'histoire de l'humanité un bébé n'a été pris en charge par une machine qui remplace la mère. Cette situation entraîne des blessures narcissiques pour l'un et l'autre parent; elle suscite l'angoisse que ce bébé ne vive pas mais aussi la crainte inverse qu'il ait des troubles, par exemple, un cerveau abîmé, et qu'il vive.

Les parents sont donc pris dans une contradiction constante, exprimée par la mère, et presque chaque fois aussi par le père dans les termes suivants: "Faites-le vivre à n'importe quel prix...", et en même temps: " S'il est abîmé, je ne veux pas qu'il vive, et ceci, à n'importe quel prix..." Cela ne va pas sans culpabilité, une culpabilité qui se joue sur les plans conscient et inconscient, ce qui ravive les problèmes de la névrose infantile du père et de la mère.

Nous pensons qu'il faut qu'un psychologue ou un psychiatre ait des entretiens avec les parents, non pas pour empêcher leur chagrin, leurs craintes, leur angoisse mais pour tenter d'empêcher qu'ils soient percutés par cette culpabilité et pour les aider à tolérer la blessure narcissique causée. Voilà un domaine dans lequel les entretiens avec les parents sont non seulement justifiés mais nécessaires pour qu'ensuite, dans tous les cas heureux où le bébé s'en sortira, les relations et les interactions précoces entre le bébé et sa mère et son père s'engagent bien.

P.R.I.S.M.E.: Professeur Soulé, parlez-nous de la "mère mortifère et meurtrière".

Pr Soulé: C'est un problème important, parce qu'au premier impératif mentionné plus haut "tous les bébés doivent vivre", s'ajoute un corollaire, et c'est celui, de l'autre côté, que la mère doit aimer tous ses bébés. Actuellement, on ne tolère pas qu'une mère dise: "Je ne peux pas supporter mon bébé". On envoie une psychologue, on fait une thérapie mère-bébé dans l'espoir que tout s'arrange. Le succès actuel des thérapies mère-bébé est évidemment très intéressant, on en fait et même beaucoup, mais on ne peut pas pousser la mégalomanie jusqu'à s'imaginer qu'on va réconcilier tous les bébés et toutes les mères.

> *Au premier impératif... "tous les bébés doivent vivre", s'ajoute un corollaire... "la mère doit aimer tous ses bébés".*

Autrefois et même encore aujourd'hui dans de très nombreuses parties du monde, des bébés meurent parce que leurs mères n'ont pas pu les investir. Et sur ce plan, on voit que les peuples, les coutumes, les religions ont toujours trouvé des systèmes pour en quelque sorte déculpabiliser les mères. Par exemple, au Sénégal, on dira: "Les ancêtres n'ont pas voulu descendre en lui"... alors qu'en fait, ça vient de ce que la mère ne l'a pas investi...

Je crois que dans le monde occidental, nous contraignons les mères à cet impératif, en ne laissant aucune place aux filles et aux mères incapables d'investir leur bébé. Plutôt que de les considérer comme des aberrations totales, on doit réaliser qu'on leur impose quelque chose qui, par la suite, pourra entraîner des abandons, du désintérêt ou des mauvais traitements.

P.R.I.S.M.E.: En relisant votre livre, "*Mère mortifère, mère meurtrière, mère mortifiée*", j'ai eu l'impression que vous avez été parmi les pionniers, dans les années '70, à parler de la mère mortifiée, en montrant la contribution du bébé dans les troubles de l'attachement, dans les autismes primaires et dans certains troubles somatiques.

Pr Soulé: Il est certain que c'était la première fois qu'on utilisait ce vocabulaire. En fait, dans ce livre (Mère mortifère, mère meurtrière, mère mortifiée) et lors de cette journée scientifique, j'avais posé le problème des parents qui ont des souhaits de mort à l'égard de leur bébé. Je considérais que si on refuse de voir ça, on se retrouve dans une situation abominable.

Il ne s'agit pas de les déculpabiliser mais de prendre en compte les sentiments très contradictoires qui peuvent exister chez certains parents et - pourquoi ne pas le dire - chez tous! Nous pensons que chez toutes les mères, il y a des sentiments très ambivalents. On parle de **maternalisation**, de transformation d'une adulte femme en une mère. Or, qu'est-ce qu'une mère? C'est une personne qui a réussi à bien bloquer, à contre-investir tout ce qui est agressif, mortifère, et qui n'investit que ce qui est positif dans tous les domaines de la vie de son bébé. Ainsi, les troubles fonctionnels du nourrisson surviennent parce qu'il y a une certaine ambivalence qui se manifeste dans les relations, pas forcément une ambivalence dans l'attitude, mais ambivalence quand même.

P.R.I.S.M.E.: Et qui n'est pas suffisamment compensée?

Pr Soulé: Qui n'est pas suffisamment mise au clair.

P.R.I.S.M.E.: Qu'en est-il de la dimension psychologique à aborder avec les équipes de néonatalogie?

Pr Soulé: Ici, à l'Institut de Puériculture, il y a plusieurs services, notamment, le plus grand service de Néonatalogie d'Europe, remarquablement équipé et dirigé par des techniciens de très grande qualité. Et comme la Guidance infantile est dans le même bâtiment, les relations ont pu être assez faciles.

P.R.I.S.M.E.: Elles l'ont été vraiment?

Pr Soulé: Oui, vraiment, mais bien sûr, il y a toujours des difficultés.

P.R.I.S.M.E.: Racontez-nous vos débuts dans le service de néo-natalogie de l'Institut de Puériculture de Paris?

Pr Soulé: Il y a une vingtaine d'années, j'ai commencé à aller dans ce service, grâce au chef de service qui avait parfaitement compris ces problèmes. Il s'était aperçu qu'au sein de son équipe, dans des discussions de dossiers en réunion de synthèse, éclataient des disputes qu'il s'agissait de comprendre. On m'a donc fait venir pour mettre à jour ce qu'il y avait dans ces dossiers, et nous nous sommes aperçu que l'équipe de néonatalogie était effectivement soumise depuis quelque temps à une situation contradictoire, c'est-à-dire qu'elle aussi avait d'abord été régie par le dogme: faire vivre les bébés à n'importe quel prix.

Et puis, à mesure que les problèmes techniques essentiels à la survie du bébé se sont trouvés à peu près dominés, on a commencé à s'interroger sur ce que l'on faisait. Evidemment, l'équipe (l'équipe, c'est depuis le pédiatre jusqu'à l'infirmière, la puéricultrice, l'auxiliaire de puériculture), constatait que ce qu'elle faisait devenait complètement idiot, et même, absolument illogique: on essayait de faire vivre un bébé manifestement très abîmé, essentiellement par des problèmes cérébraux graves qui en feraient une épave.

Donc, que faire? Et c'est cette contradiction qui les a amenés à réfléchir à la question: Faut-il les laisser vivre? Ne pas le faire implique d'aller tout à fait contre sa vocation, celle de donner les meilleurs soins à un bébé. Le problème s'est posé et comme pour l'adulte, on a commencé à parler d'**euthanasie**: en arrêtant les moyens de survie, le bébé décède et on lui évite ainsi toutes ces souffrances... Ceci, au fond, est acceptable, puisqu'on le remet dans la situation où il se trouvait avant qu'on intervienne pour lui dispenser des soins finalement artificiels.

Le plus terrible, c'est lorsque le bébé continue à vivre, et ceci malgré l'arrêt des techniques de survie. On se trouve confronté à ce qu'on appelle l'**euthanasie active** et c'est alors que surviennent beaucoup de problèmes et de dissensions dans l'équipe. Il faut donc donner une très bonne information technique à toute l'équipe, expliquer tous les désordres du bébé et ce que l'on sait de son avenir prévisible. Il faut également réaliser la situation des parents, de la famille, pour qu'ensuite, tous les gens qui ont été amenés à s'occuper de ce bébé se mettent d'accord. Si certains ne sont pas d'accord, il ne faut pas passer outre, car ce serait très mauvais pour la suite, très mauvais, par exemple, pour les prochains bébés dont ces personnes auront à s'occuper.

Qu'est-ce qu'une mère? Une personne qui a réussi à contre-investir tout ce qui est agressif et qui n'investit que ce qui est positif dans la vie de son bébé.

Voilà l'un des problèmes qui exigent des réunions en cercle fermé afin de faire cette démarche. Et dans les cas qui suscitent des conflits, peut-être qu'un psychiatre, un psychothérapeute peut y entrer, participer à la discussion, non pas pour donner son avis sur les aspects techniques mais pour essayer de comprendre pourquoi des positions différentes existent dans l'esprit des gens impliqués. C'est ce type d'intervention que j'assure ici avec l'équipe lorsqu'elle est aux prises avec de telles dissensions internes.

P.R.I.S.M.E.: Y a-t-il aujourd'hui de nouveaux défis pour le psychiatre au sein de l'équipe de néonatalogie?

Pr Soulé: La présence d'un service de médecine foetale et de diagnostic prénatal amène beaucoup plus d'enfants prématurés précoces, d'enfants qu'on est forcé de mettre en réanimation et qui sont à risque grave. On assiste dans le service de néo-natalogie depuis deux ans à une nouvelle vague de problèmes. Ce service pensait qu'il avait à peu près digéré les problèmes psychologiques de la première vague, d'il y a 20 ans. Mais il découvre maintenant une nouvelle vague de problèmes psychologiques, un peu plus accentués que les anciens, et qu'il faut essayer de comprendre, sans quoi on risque de décourager le personnel.

P.R.I.S.M.E.: Comment cela a-t-il été reçu? Vous avez parlé d'une situation où vous étiez bien accueilli parce que les pédiatres - et non les "psy" - avaient identifié un besoin de dialogue en profondeur.

Pr Soulé: D'abord, il y a eu le Professeur Lelong, pédiatre à l'Hôpital St-Vincent de Paul (Paris), qui m'avait donné la charge de créer puis de développer la psychiatrie infantile en 1952. C'était alors une des rares consultations de psychiatrie infantile, une des seules au monde qui existait dans un service de pédiatrie. J'avais été interne, chef de clinique et assistant en pédiatrie. Kreisler et moi étions issus de la pédiatrie, et cela a présenté un avantage: quand nous sommes devenus psychiatres, tous nos collègues avec qui nous avions été dans les salles de garde nous voyaient comme leurs égaux et ont pu ainsi s'adresser plus facilement à nous.

Nous connaissions mieux les résistances profondes du milieu par rapport à la psychologie. Et puis, il s'est trouvé à Paris une situation qui a été favorable à la psychiatrie d'enfant. Les pédiatres de cette génération qui sont devenus chefs de service et ont essaimé dans différents hôpitaux ont amené avec eux l'idée que la psychiatrie infantile était intéressante. Cela a contribué à renverser toute tendance à considérer cette discipline avec dérision.

P.R.I.S.M.E.: N'aviez-vous pas aussi été intéressé par le tout jeune enfant déjà à l'Hôpital Saint-Vincent de Paul?

Pr Soulé: Oui. Etant dans un hôpital de Pédiatrie avec Kreisler qui était aussi psychiatre, je me suis intéressé au tout jeune enfant à l'époque où toutes les équipes parisiennes ne s'intéressaient qu'à l'enfant d'âge scolaire, et peu à l'enfant pré-scolaire, et encore moins, à l'enfant qui ne parle pas.

P.R.I.S.M.E.: Une question à propos de Winnicott. Vous le citez dans vos travaux, "*Mère mortifère*", et aussi dans "*L'Enfant et son corps*", par exemple, quand il parle de la haine de la mère. On dit quelquefois que vous êtes le Winnicott français... Quel est votre rapport à Winnicott et à ses travaux?

Pr Soulé: Il est évident que ceux qui ont commencé à s'intéresser au très jeune enfant dans les années 50, 55, ne disposaient pas tellement d'écrits cliniques. On pouvait se référer à Freud, Mélanie Klein, Anna Freud, et Margaret Mahler, mais il s'agissait de travaux plus théoriques qui définissaient des concepts et de grandes voies de réflexion.

Winnicott, et notamment dans son livre, "*De la pédiatrie à la Psychanalyse*" (qui était exactement notre parcours) témoignait d'une grande expérience avec le bébé en situation clinique. On était évidemment heureux de trouver dans son oeuvre des formulations et des éléments immédiatement assimilables. C'est pourquoi on s'est beaucoup intéressé à lui.

P.R.I.S.M.E.: Il nous semble cependant qu'un point qui vous distingue de Winnicott, c'est l'importance que vous accordez au père. Vous encouragez le travail thérapeutique avec les pères dans cet article (Mère mortifère...) déjà en 1977.

Pr Soulé: Il est assez remarquable que dans le livre de Winnicott, "*De la Pédiatrie à la Psychanalyse*", on ne trouve jamais cité le père. Bien sûr qu'il existe en arrière-plan. On peut imaginer aussi que ce qui intéressait Winnicott, c'était d'étudier la relation mère-bébé. Donc, il éliminait le paramètre "père", et ceci, pour être plus clair, ne pas brouiller les esprits. Mais il est certain qu'on l'entend peu et même pas du tout parler du père, je ne dis pas dans le reste de son oeuvre, mais dans ce livre-là.

La nécessité de s'intéresser au père est apparue assez vite alors qu'au début, on s'est intéressé à la dyade mère-bébé. On s'est aperçu qu'il jouait, et extrêmement tôt, un rôle à plusieurs niveaux, soit directement à l'égard du bébé, et aussi indirectement, à travers le couple qu'il forme avec la mère. Il y a par ailleurs tous les aspects du père en tant que la Loi, en tant que le Nom du Père, que séparateur de la mère et du bébé, en tant qu'établissant une triangulation au point de vue symbolique, au point de vue imaginaire, et qui est nécessaire aussi bien pour la mère que pour le bébé.

Le bébé réel doit en quelque sorte accepter certaines des caractéristiques du bébé imaginaire que la mère a dans la tête.

Actuellement, plusieurs recherches en France portent sur la triade. Cependant, je pense qu'il y a plus encore et, contrairement à ce qu'on a dit pendant longtemps, que les grands-parents sont aussi impliqués. Bien sûr, ils peuvent jouer un rôle immédiat auprès du bébé, mais en même temps, ils jouent un rôle dans la tête du père et de la mère qui va influer sur le bébé. Un exemple: une jeune mère, en donnant des soins à son bébé va, dans sa tête, s'imaginer la façon dont sa mère le faisait, et aussi la façon dont sa mère le ferait. De son côté, si le bébé pouvait parler quand sa mère fait ça, il pourrait bien dire à sa mère: "Et bien, tu fais ce que tu veux, ou bien tu es en train d'imiter ta mère?"

P.R.I.S.M.E.: On vous attribue l'expression **bébé imaginaire**. Quelle a été la genèse de ce concept?

Pr Soulé: Il y a huit ans environ, à l'occasion d'une Journée scientifique sur le très jeune enfant organisée avec Bertrand Cramer et Léon Kreisler, nous avions invité le docteur Brazelton à venir présenter son travail et ses films. Huit cents personnes ont pu ainsi se familiariser avec ses travaux et ceux de Stern.

Cette Journée s'appelait: "Quoi de neuf, bébé?. La dynamique du nourrisson". J'avais, pour ma part, étudié très attentivement le phénomène suivant, à savoir que la mère à la naissance, a un bébé réel, celui en chair et en os, mais qu'elle a aussi dans la tête depuis longtemps un projet. J'ai étudié comment ce projet se constituait, à partir de quelles racines dynamiques la petite fille, à la fin de la première année, telle qu'elle est située dans un réseau de tel ou tel type, constituait ce projet d'avoir un bébé. Le garçon, lui aussi, va constituer ce même projet. Même si personne n'entend ce qu'en disent les petits garçons, ils le disent pourtant tous. J'ai cherché à voir comment ceci se transforme pendant la période oedipienne, pendant la période de latence, à la puberté, à l'état adulte et pendant la grossesse. J'estime finalement que toutes les transformations de ce bébé imaginaire dans la tête de la mère et du père comptent beaucoup au moment où survient la naissance.

Dans ce texte, j'ai présenté trois aphorismes qui permettent de se guider. D'abord, pour que ça marche entre le bébé et sa mère, il faut que le bébé réel soit "**suffisamment superposable**" au bébé imaginaire. Je pose aussi que le bébé imaginaire doit être "**suffisamment aménageable**", i.e. que la mère n'ait pas dans la tête un bébé imaginaire dont elle ne veut modifier aucune des caractéristiques. L'exemple de ceci serait une mère qui veut absolument un garçon et qui a une fille; si la mère est absolument fixée sur ses positions, la relation ne sera sûrement pas très agréable.

J'ai ajouté un troisième point qui ne me paraît pas du tout un paradoxe, c'est que **le bébé réel doit en quelque sorte accepter certaines des caractéristiques du bébé imaginaire** que la mère a dans la tête. Un exemple simple: si le bébé réel pouvait parler de la façon dont la mère lui donne à manger, il devrait pouvoir dire: "Je vois que ma mère a dans la tête un bébé vorace qui mange deux fois sa ration, etc... Alors, moi, ce n'est pas du tout mon style, mais je vais faire un effort...." Si la mère ne veut pas céder et surtout, si le bébé réel, pour des quantités de raisons physiologiques, fonctionnelles, ne peut pas et n'accepte pas le bébé que la mère a dans la tête, il va y avoir de l'opposition et un malentendu va éclater très vite.

P.R.I.S.M.E.: C'est très beau, cette plasticité réciproque.

Pr Soulé: Un exemple a été bien étudié, celui de l'hypotonie du nouveau-né qui est souvent physiologique mais peut évoluer ensuite vers une tonicité normale. A la naissance, dans les bras de la mère, le bébé hypotonique se présente comme un paquet de serviettes mouillées. A ce moment et en l'espace de quelques secondes ou une minute, quelque chose va s'enclencher: si la mère avait dans la tête un bébé tonique, vigoureux, si elle pense que ses parents ont été officiers de cavalerie, ou bien encore, de grands sportifs, etc., ce bébé dans ses bras est exactement à l'opposé de ce qu'elle avait dans la tête. Ceci va créer un malentendu terrible et entraîner beaucoup de difficultés.

Si, au contraire, la mère le vit comme un pauvre petit qu'il faut tenir, etc., mais qui va bientôt se transformer, elle portera alors ses soins maternels justement sur l'hypotonie, et tout va bien marcher. Voilà un exemple qui se joue dans les premières minutes.

P.R.I.S.M.E.: Et qui se joue dans la tête.

Pr Soulé: Cela met en place quelque chose dont on parle maintenant et qu'on appelle le **mandat transgénérationnel**, les objets transgénérationnels. Cette mère a dans la tête l'idée qu'elle transmet la force de caractère, l'énergie, la sportivité de ses parents, de ses grands-parents; il faut donc que le bébé soit capable de se tenir, soit digne de sa famille.

P.R.I.S.M.E.: Digne de sa lignée?

Pr Soulé: Afin que la lignée persiste... Une mère peut cependant s'adapter. Si elle a dans la tête: "Il faut que j'aie un bébé qui soit dynamique et sportif", mais qu'en même temps, elle pense: "mais c'est embêtant comme tout, les sportifs et les gens dynamiques, moi, je suis plutôt poétique et artistique...", elle va peut-être beaucoup mieux le tolérer. On voit bien qu'il y a un mandat transgénérationnel par rapport auquel la mère peut prendre une position très variable.

On ne fait pas le deuil de l'enfant imaginaire. Ce dont on fait le deuil, c'est malheureusement plutôt du bébé réel.

P.R.I.S.M.E.: Dans un article récent de *"Neuropsychiatrie de l'enfance"* [1], il est question du deuil du bébé imaginaire après la première échographie. Qu'en pensez-vous?

Pr Soulé: Je crois que c'est un mauvais terme, "le deuil du bébé imaginaire", parce qu'on ne fait pas le deuil de l'enfant imaginaire. Ce dont on fait le deuil, c'est malheureusement plutôt du bébé réel. La mère va en faire le deuil en disant: "Je n'ai pas bien réussi ce coup-ci...". Mais l'évidence qu'on ne fait pas le deuil de l'enfant imaginaire, c'est qu'avec une nouvelle grossesse, ça recommence. Autrement dit, chez une femme qui est à nouveau enceinte, elle et son mari vont se dire tous les deux, en schématisant, comme s'ils pensaient: "Notre premier enfant n'est pas tout à fait superposable à l'enfant imaginaire. On va en faire un autre et on va voir si ça ira mieux... ça sera une autre version de l'enfant imaginaire..."

Là où ça marche le mieux, c'est dans les familles où il y a plusieurs enfants, où les parents sont intéressés par chacun de leurs enfants comme étant une sorte d'application dans la réalité de l'enfant imaginaire. C'est assez intéressant de se dire: "Tiens, mon fils, c'est une façon d'être de l'enfant imaginaire que j'ai dans la tête, pas exactement le même, et puis ma fille, c'est une autre version de l'enfant imaginaire qui est aussi assez intéressante." C'est très intéressant d'étudier comment renaît dans l'esprit des parents l'idée de tenter encore une fois leur chance.

P.R.I.S.M.E.: Pour qu'il y ait un désir d'une nouvelle grossesse, il faut qu'il y ait ça au départ...

Pr Soulé: Il faut que l'enfant imaginaire, ça fonctionne.

P.R.I.S.M.E.: Pourriez-vous nous parler de vos travaux en cours?

Pr Soulé: Nous n'avons pas parlé, parmi les problèmes que pose la médecine pré-natale actuellement, d'un élément qui me paraît questionnant en tant que psychiatre d'enfant, et je suis en train d'écrire là-dessus, c'est celui de la fratrie, des aînés, par rapport aux interruptions de grossesse dites "médicales", reposant sur des précisions médicales strictes avec un avis éthique.

Ces aînés ont un triple problème. D'abord, ils vont apprendre la nouvelle. C'est le plus facile: la mère dit qu'elle est enceinte, qu'ils vont avoir un petit frère ou une petite soeur, même parfois, la mère fait toucher son ventre pour que les enfants écoutent le coeur. C'est le problème de tout le monde.

Mais à un moment donné cependant, les parents doivent leur annoncer que ça ne va pas bien. La mère retourne souvent à l'hôpital, passe des examens. Elle est triste, inquiète, le couple se pose des questions. Il faut donc avertir les enfants que le foetus ne va pas bien. Et enfin se pose la question: faut-il dire qu'on a pris la décision d'interrompre la grossesse ou faut-il laisser croire que c'est une mort naturelle et une expulsion naturelle?

> *Faut-il dire qu'on a pris la décision d'interrompre la grossesse ou faut-il laisser croire que c'est une mort naturelle?*

Je n'ai aucune réponse pour l'instant. En fait, on s'aperçoit que pour les aînés, ce doit être assez angoissant d'imaginer des parents qui "tuent" les bébés qui ne vont pas bien, de cette mère archaïque qui bouffe les bébés qui ne vont pas. C'est évidemment très angoissant qu'après avoir entendu les parents dire: "Tu vas avoir un petit frère ou une petite soeur", ceux-ci arrivent ensuite en disant: "Il est pas formidable", et un peu plus tard, "On a décidé de le supprimer". Nous pensons que lorsque dans 5 ou 10 ans cette pratique sera entrée dans les moeurs et bien connue de tout le monde, peut-être qu'à ce moment, même les enfants le supporteront.

P.R.I.S.M.E.: Une dernière question. Il semble qu'on n'a jamais su autant de choses sur la psychologie du bébé à venir, de ses parents et de ses grands-parents. En même temps, avec les grossesses médicalement assistées et la procréation par les mères porteuses, il semble y avoir un paradoxe: on n'a jamais si bien compris l'importance de cet investissement imaginaire avant la naissance, et en même temps, les moyens technologiques utilisés semblent ignorer ces données psychiques. Qu'en pensez-vous?

Pr Soulé: Après avoir maîtrisé la sexualité et ainsi complètement dissocié sexualité et grossesse, on maîtrise maintenant de mieux en mieux la fécondation et la biologie du foetus et du bébé. Il est tout à fait normal de voir ceci comme un progrès de l'humanité.

Par ailleurs, je ne crois pas qu'il faille s'affoler devant quelques extravagances. Dans les médias, on bat immédiatement le tam-tam. On peut faire très peur en disant: "Vous vous rendez compte, tous ces embryons dans les éprouvettes, toutes ces histoires..." Il s'agit pourtant d'un immense progrès. Par exemple, la procréation médicalement assistée donne des enfants à des couples qui deviennent ainsi comme tout le monde. Cependant, qu'il ne faille pas faire n'importe quoi, ça c'est évident. Il faut chaque fois réfléchir, voir ce qu'il en est, et éviter certaines choses, néanmoins, c'est un énorme progrès*.❖

* **N.B.** Quelques jours après cette entrevue, les autorités judiciaires françaises déclaraient illégales les mères porteuses.

1. Boyer J. & Porret Ph. L'échographie et l'attente d'un enfant: Mise en question du concept de deuil de l'enfant imaginaire et de ses utilisations. **Neuropsychiatrie de l'enfance**, 1991, 2-3, 72-77.

This account of a recent interview with French psychoanalyst and child psychiatrist Michel Soulé focusses on the following subjects:

- parenthood in 1991
- the psychological impacts of new life-sustaining technologies used in neonatology
- the psychodynamics of motherhood
- the role and evolution of psychiatric consultation in a neonatology department
- the concept of the "imaginary" baby
- the psychological repercussions of abortion on siblings and of new reproductive techniques

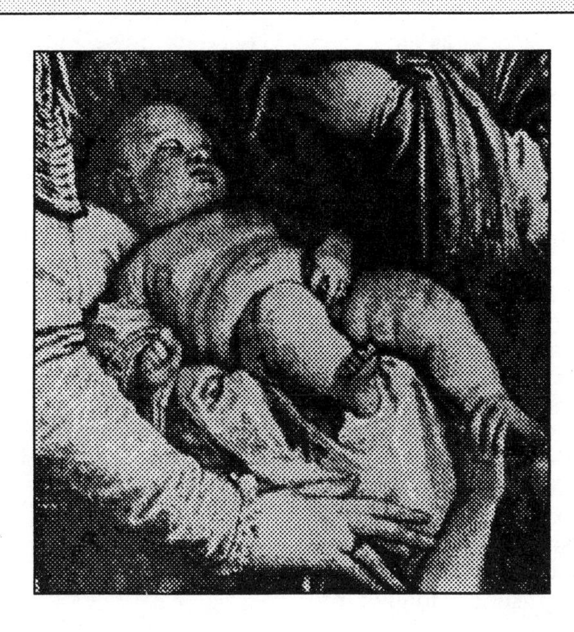

Giovanni Veronese, 1562, **La Sainte Famille,Sainte-Barbe et St-Jean**

LE MUR DU SON

Marc-André PARÉ

J'ouvre toutes grandes mes oreilles, mes tympans se tendent. Le médecin se met à explorer le ventre, en apparence normal, de Mélinda, avec un sonomètre entêté. Soudain, des chuintements sonores envahissent la pièce, comme de fortes vagues qui viendraient balayer un rivage sans fin.

- C'est l'aorte abdominale. Attendez, dit le médecin, en ajustant l'appareil.

Des battements ultrarapides, sans doute paniqués d'avoir été détectés, inondent alors la pièce. On dirait une bombe sur le point d'éclater.

Une partie de cache-cache commençe. Le ressac de l'artère monte de nouveau, mugissant. L'appel de la mer à la mère. Les battements s'éclipsent. Le sonomètre arpente le ventre, timide, comme un amant gêné. Puis, les battements reviennent, moins effrayés, plus amadoués, cette fois semble-t-il, heureux de se manifester.

Là, au creux même de la chair de Mélinda, se terrait quelqu'un, quelqu'île qui venait de nous signaler sa présence, inquiétante tant elle était loin et proche tout à la fois.

Ces battements, ces chuintements, si inattendus, si étranges, ont été les premiers signes de reconnaissance d'Olivia. Ils ont laissé des traces définitives, beaucoup plus vives que l'affreux polaroïd pris lors de l'échographie. Une photo qui avait bien peu de sens, d'autant que le batracien ainsi pris dans une pose clinique s'était serré les membres inférieurs dans un élan de modestie. Ou peut-être était-ce pour faire un pied de nez aux curieux qui voulaient à tout prix lui ravir son sexe? Comment s'identifier à un batracien? L'amour parental, même aveugle, a des limites.

Ces battements devaient marquer le début d'une aventure imprévue et imprévisible, puisqu'une naissance à venir s'était imposée en déjouant tous nos calculs. Ulysse métamorphosé en spermatozoïde, une tête forte qui avait survécu en surnageant, n'avait pu résister au chant de l'ovule. La fécondation est une histoire de chair et de chant. D'enchantement. D'envoûtement.

LA CHAIR TREMBLE

Quarante-trois semaines de gestation. Quarante-trois semaines à préparer un accouchement, que l'on voulait le plus naturel possible. Des angoisses d'image s'étaient emparées de nous. A qui ressemblerait-elle? A lui? A elle? Et si, planant au-dessus de nous, elle remontait l'arbre généalogique et trouvait refuge sous les traits d'un aïeul oublié? Et puis, après tout, si elle se contentait de prendre sa propre image. Elle s'agitait alors et semblait dire:

- M'enfin, vous verrez bien, pour le moment écoutez-moi!

La tête toujours en haut, elle refusait de se retourner. On l'entendait, le jour, la nuit, vivre dans son antre, se déplacer, se débattre. Parfois, elle se recroquevillait, clopin-clopant. Peut-être écoutait-elle ce que nous avions à dire? A d'autres moments, elle s'amusait à faire de la haute voltige et traçait des sillons sur le ventre de sa mère.

Elle continuait à aspirer l'espace; elle prenait du corps. Mais ce faisant, elle se tendait un piège, son espace se rétrécissait. Il faudrait bien qu'elle sorte. Un jour, elle perdit si bien la tête, qu'elle se retourna.

Désormais, il n'y avait plus de solution de continuité entre Mélinda et Olivia. Elles étaient deux à se partager le même espace. Leurs douleurs étaient communes, une ne pouvait vivre sans l'autre. Quand une toussait, l'autre hoquetait, quand une pleurait de douleur, l'autre la réconfortait, lui serrait le coeur.

Moi, je leur racontais des histoires. Caressant l'une pendant que je parlais à l'autre. Ce ventre immense, cette caverne d'Ali-Baba, était devenu mon champ d'attraction et d'émerveillement.

Un jour, enfant, enfin, alors que nous étions rentrés à la maison, après notre dose d'oxytocine, les contractions se faufilèrent dans l'obscurité de la nuit.

Mélinda arpenta longuement le couloir. Puis elle s'étendit, se coula dans le lit, contre moi. Je la massais. Elle prenait son temps et adoptait des poses naturelles, pourtant trop souvent interdites à l'hôpital. Nous obéissions à un seul et même rythme. Les contractions s'intensifièrent. Les massages aussi. En douce, l'heure de l'hôpital venait de sonner.

Trente sous zéro. La petite sacripante!

A l'hôpital, enfin, il fallut encore insister pour profiter de la chambre de naissance. L'interne arrive. Il se penche et plonge son doigt. 9cm! Le médecin se pointe quelques minutes plus tard. Heureux comme Moïse, il fend les eaux. Il faut de suite commencer à pousser. On entre de plain-pied dans la dernière phase : l'expulsion du locataire. Préposé aux glaçons, au massage du dos et aux mouchoirs pour la grippe de Mélinda, je n'ai guère le temps d'enfiler le petit bonnet vert. Youppi!

Je regarde. Je sens Mélinda. Une force animale s'est emparée d'elle. Elle se transforme en félin. Elle rugit. Il faut décider Olivia à s'engager. Elle refuse, n'en fait déjà et toujours qu'à sa tête. Les contractions se rapprochent. Les rugissements de Mélinda se multiplient. Ils contrôlent maintenant les contractions. Après des coups, des cris de coeur, les 5,5 kilos d'Olivia s'arrachent des entrailles.

Un corps aux couleurs de chair et de sang s'offre à nos yeux rougis. C'est l'aube. Dehors, les rayons du soleil réchauffent les glaçons qui s'accrochent frénétiquement aux carreaux. Les rayons inondent de lumière les draps maculés de sang rubis.

Olivia trône au milieu de ce tableau surréel. Elle est posée sur le ventre de sa mère. Elle regarde. Je la vois. Elle sent, elle hume la chair de sa mère, comme une bête. Je lui parle. Elle se retourne, elle reconnaît la voix. Mélinda sourit d'épuisement.

Trois êtres se regardent béatement: un naissant, l'autre donnant naissance et le troisième prenant naissance. Mais déjà, c'est la fin. Olivia prend possession de son corps, de son espace. Désormais, elle s'appartient tout entière.❖

Raphaël, 1512, **La vierge à la chaise.**

Dans cet article, nous présentons une méthode d'observation parent-enfant d'orientation psychodynamique, adaptée à l'enseignement offert aux professionnels de la santé, et plus particulièrement, aux résidents en psychiatrie de l'Hôpital de Montréal pour Enfants.

Dans la littérature, l'observation directe du jeune enfant sert de base à l'apprentissage du développement de l'enfant et à la compréhension psychodynamique des premières relations. Elle s'avère aussi pertinente à l'acquisition de techniques psychothérapeutiques impliquant la reconstruction et la compréhension des phénomènes transférentiels et contre-transférentiels.

Les objectifs généraux et spécifiques de notre programme, les sujets, la méthode, les thèmes abordés et les processus d'évaluation sont successivement décrits.

L'OBSERVATION PARENT-ENFANT DANS LA FORMATION DES RÉSIDENTS EN PSYCHIATRIE

DU BÉBÉ IMAGINAIRE AU BÉBÉ RÉEL

Ruth C. RUSSELL
Jacqueline ROYER
Irwin S. DISHER

Ruth C. **Russell** MDCM, FRCPC, est psychiatre à l'Hôpital de Montréal pour Enfants, professeur adjoint de Psychiatrie et de Pédiatrie à l'Université McGill, et Coordonnatrice des Études Post-graduées au Département de Psychiatrie de l'Université McGill.
Jacqueline **Royer** MD, FRCPC, est psychiatre à l'Hôpital de Montréal pour Enfants et professeur adjoint de Psychiatrie et de Pédiatrie à l'Université McGill.
Irwin S. **Disher** MD, FRCPC, est psychanalyste, psychiatre et directeur de la Clinique Externe du Département de Psychiatrie de l'Hôpital de Montréal pour Enfants, et professeur agrégé de Psychiatrie à l'Université McGill.

L'observation du bébé appartient en tant que méthode à une longue tradition dans notre milieu depuis son introduction par le Docteur Disher qui fut l'élève du pédiatre, psychiatre et psychanalyste, Donald Winnicott. Les méthodes traditionnelles d'observation, dérivées du cursus psychanalytique, ont cependant dû être adaptées ici aux exigences et aux contraintes toujours grandissantes liées à la formation des résidents en psychiatrie et d'autres professionnels de la santé. Rendre l'observation du bébé utilisable en tant qu'outil pédagogique dans notre milieu, tel est le défi que nous avons tenté de relever depuis 1985.

L'OBSERVATION DIRECTE

Depuis ses débuts vers 1948 à la Clinique Tavistock de Londres, l'observation directe du jeune enfant a été prônée comme un moyen privilégié d'apprentissage du développement psychique de l'enfant et de compréhension approfondie des relations précoces. L'observation parent-nourrisson est à la base de l'acquisition des techniques psychothérapeutiques psychanalytiques impliquant la reconstruction et la prise en compte des phénomènes transférentiels et contre-transférentiels (Dowling, Rothstein, 1989).

Notre méthode s'inscrit dans la continuité des travaux des pionniers E. Bick (1964) et W.E. Freud (1975), ainsi que de ceux, plus récents, de M. Rustin (1988) et d'E. Tuters (1988). Cependant, ces divers programmes se déroulent en général dans des milieux de formation psychanalytique, dans le but de parfaire les compétences psychothérapeutiques des participants; ils mettent l'accent sur la relation mère-enfant et débutent le plus souvent très tôt après la naissance.

Dans notre cas, en milieu pédopsychiatrique, le programme est centré sur l'approfondissement de l'histoire et du développement de l'enfant dans son milieu. Nous nous attachons particulièrement aux notions de filiation (Golse, 1988) et de bébé imaginaire (Soulé, 1982; Lebovici, 1988), ainsi qu'à l'impact de l'attente et de la naissance d'un nouvel enfant sur l'ensemble de la famille.

L'exigence spécifique à l'enseignement aux résidents est celle de contribuer à leurs connaissances pratiques et théoriques souvent très sommaires sur le développement du bébé. Les contraintes particulières et inhérentes à notre cadre d'enseignement sont de deux ordres:

- contraintes de temps, relatives à la durée variable des stages (6 mois, parfois 12 mois ou plus) autant qu'à la disponibilité requise pour les visites à domicile et les séminaires (qui s'ajoutent à un horaire clinique et académique obligatoire déjà très chargé);

- contraintes reliées au fait que plusieurs résidents ne poursuivent pas de psychothérapie personnelle ou de psychanalyse, celles-ci servant souvent de rempart devant les contre-attitudes suscitées par l'intensité du matériel primitif observé.

Le défi d'introduire un tel programme d'observation dans un stage obligatoire de six mois consiste à permettre l'accès à un matériel pré-verbal très primitif dont il s'agit de contenir l'intensité sans trop toutefois la diluer, et ceci, afin de surmonter l'anxiété et les résistances de la part des observateurs avant, pendant et après leur participation. L'organisation des groupes et l'encadrement à fournir nous semblent donc - presque par définition - destinés à maintenir un équilibre délicat exigeant, comme dans le cas d'un nourrisson, une présence attentive et sans cesse renouvelée.

C'est dans ce contexte que nous avons eu l'idée de regrouper les résidents par équipes de deux lors de leurs visites à domicile. Pour l'avoir expérimentée nous-mêmes, cette technique, décrite et utilisée par M. David (1981) dans ses thérapies mère-bébé avec des mères psychotiques, permet de contenir les projections et les triangulations inévitables entre l'observateur, la dyade mère-bébé, et les autres membres de la famille, projections souvent très lourdes à assumer pour les débutants.

D'autre part, suite aux commentaires reçus de résidents qui trouvaient difficile d'improviser à la fois dans les discussions de groupe et les visites d'observation, nous avons structuré les séminaires autour d'une série de thèmes et d'une bibliographie. Enfin, nous avons tenté de créer une ambiance dans les séminaires qui facilite la mise en commun de certains éléments personnels, nécessairement évoqués par les observations, sans pour autant exiger que les participants se dévoilent. Il nous semble que ces transformations de la méthode traditionnelle remplissent une fonction contenante, et sont donc moins défensives qu'adaptées au contexte de la résidence en psychiatrie. Il s'agit d'une expérience d'initiation qui, pour certains, pourra se prolonger, s'intensifier, et se personnaliser davantage encore dans un contexte institutionnel psychanalytique pleinement constitué ou dans le cadre d'un séminaire plus avancé.

OBJECTIF GÉNÉRAL

L'objectif général de notre programme est centré sur l'observation du déroulement d'une relation parent-enfant adéquate,"suffisamment bonne" (Winnicott), à la fois fantasmatique et réelle. Il s'agit d'une perspective génétique axée sur le développement de l'enfant et de ses relations précoces, à partir de son existence dans l'imaginaire parental et familial. Ces observations servent de canevas pour la compréhension des relations pathologiques et des relations thérapeutiques. Tout au long des séminaires, les discussions font ressortir la pertinence de l'observation parent-enfant pour la pratique clinique quotidienne actuelle et future des résidents auprès d'enfants aussi bien que d'adultes.

OBJECTIFS SPÉCIFIQUES

A l'instar d'autres méthodes d'observation du bébé décrites dans la littérature, nous combinons l'observation directe et les séminaires de discussion. Dans les séminaires, nous mettons l'accent sur l'expérience et la compréhension des concepts de communication pré-verbale et d'interaction intuitive. Il s'agit de processus psychiques et transactionnels primordiaux, difficiles à expliciter en mots, mais qui ont cependant été décrits par des auteurs comme Stern (1977), Watson, Johnston (1958).

SUJETS

Dans l'esprit du "There is no such thing as a baby" de Winnicott, c'est la famille qui est le sujet des observations: père, mère, frères et soeurs, et même parfois les grands-parents, dans leurs relations au bébé attendu et au bébé qui naît. Les animatrices du séminaire (R.C.R et J.R) choisissent des familles arrivées au troisième trimestre de la grossesse et dont le recrutement est fait parmi une population non-psychiatrique par l'intermédiaire de collègues obstétriciens, de classes prénatales, de réseaux communautaires ou par contacts personnels. Nous prenons contact par téléphone avec les familles et la sélection s'opère en fonction de leur accessibilité, leur disponibilité, leur motivation et, nous l'espérons, leur santé physique et psychique "suffisamment bonne". Avec l'expérience, nous croyons préférable que les familles s'expriment dans la langue des résidents, qu'elles habitent à proximité de l'hôpital, que la mère ait l'intention de rester à la maison durant les six mois qui suivent l'accouchement, et également, qu'elle essaie d'allaiter au sein son bébé.

MÉTHODE

Les participants aux séminaires d'observation sont principalement des résidents en stage obligatoire de six mois en psychiatrie de l'enfant et de l'adolescent. Selon les années, leur nombre a varié entre deux et huit résidents. A l'occasion, se sont ajoutées des professionnels en santé mentale intéressés à participer au programme. Certains résidents étaient eux-mêmes parents, mais la majorité ne l'était pas; les niveaux d'expérience et la capacité de travail de chacun avec les enfants et les familles se sont avérés très variables.

Les participants choisissent eux-mêmes leur co-équipier et une famille leur est assignée pour une période de 6 à 12 mois, selon leur préférence et leur disponibilité. Les visites à domicile commencent en prénatal pour se poursuivre en post-natal, et leur but est d'observer une variété d'interactions: allaitement, bain, réveil, endormissement. Les visites bimensuelles sont faites en alternance avec les séminaires, le programme correspondant ainsi à une activité par semaine, ce qui est compatible avec l'horaire chargé des résidents. Chaque participant tient un journal de ses observations, sans cependant avoir recours à la prise de notes pendant les visites (Bick, 1964), en vue de la rédaction d'un rapport de synthèse final où se trouveront intégrées ses réflexions personnelles, ses observations, ses lectures et les discussions de groupe. Les deux animatrices du séminaire ont également pratiqué l'observation directe d'une famille dans le cadre de ce programme.

THÈMES

La plupart des séances de discussions sont centrées autour d'un thème; des séances consacrées à la mise à jour des observations dans chaque famille viennent cependant s'intercaler à intervalles réguliers. Les séances thématiques donnent l'occasion d'approfondir les aspects théoriques des relations précoces, et de les confronter aux variantes observées in vivo par chaque équipe. Les sujets plus spécifiques abordés au fil des séminaires sont les suivants: le rôle d'observateur-participant, accueil et imaginaire, la maternalité, le nourrisson, la paternité, la fratrie, les vicissitudes des premières relations, et les dilemmes des parents entre vie professionnelle et présence au foyer.

Toutes ces dimensions sont donc considérées dans l'évolution particulière de chaque famille. Nous nous efforçons de saisir la vulnérabilité ou la solidité des attachements, la transition subtile entre ce qui est adéquat et ce qui est pathologique. Nous tentons ensuite de prolonger cette compréhension en l'appliquant à des situations thérapeutiques. Au cours de ces rencontres, les participants seront aussi appelés à tour de rôle à choisir un article sur un thème donné dans la bibliographie qu'ils doivent commenter en vue d'une discussion avec le groupe.

EXPÉRIENCE PÉDAGOGIQUE

Voici, en bref, comment se déroule un cycle d'enseignement de six mois qui comporte de 10 à 12 séminaires.

Orientation - Les débuts. Au cours du premier séminaire, les responsables animent un entretien avec une famille qui attend ou vient tout juste d'avoir un bébé. Ceci permet d'illustrer le rôle délicat d'observateur-participant et de stimuler l'intérêt des résidents pour le programme. Le rôle d'observateur exige une grande réceptivité, une aptitude à "être" plutôt qu'à "faire", une capacité de "rêverie" rejoignant celle de la mère (Bion, 1962). L'observateur n'est ni un thérapeute, ni un ami, mais un élève qui parfois se sentira impuissant, tout en ayant beaucoup à recevoir de cette famille qui l'accueille. Les articles d'E. Bick (1964) et de W.E. Freud (1975) s'avèrent très précieux pour initier et assister les débutants.

Accueil et imaginaire. Les résidents commencent leurs visites à domicile alors que les familles sont dans le dernier trimestre de la grossesse. Ceci leur permet de découvrir le "travail d'accueil" (Saucier 1983), et de suivre l'élaboration fantasmatique et imaginaire chez chacun des membres de la famille, en parallèle avec les transformations physiques et les aménagements matériels qui s'accomplissent (Lester, Notman, 1986; Klaus, Kennel, 1982). L'impact des mouvements foetaux, des échographies, et parfois des amniocentèses, est fascinant à découvrir et à mettre en rapport avec les données de la littérature (Boyer, Porret, 1991; Piontelli, 1987). Les articles princeps de Soulé (1982) et de Lebovici (1988) servent de base à nos discussions. Cette méthode prospective, débutant avant la naissance, permet l'accès à une richesse de matériel imaginaire qui va bientôt se dissoudre - du moins en partie - dans la mémoire, sous l'effet de la préoccupation maternelle primaire et sous le poids de la présence affirmative du bébé réel.

Maternalité. Les travaux de Winnicott (1956, 1957, 1960) servent de fondement aux discussions sur le thème des mères, de la préoccupation maternelle primaire et de la fonction maternante. Il nous est arrivé de discuter de la place accordée dans la littérature clinique, aux attributs mortifères et mortifiés de la mère (Soulé, 1978), et au blâme dont elle est encore l'objet (Caplan, Hall-McCorquodale, 1985).

1re séance de Mise à jour L'expérience nous a appris qu'il est nécessaire de prévoir une mise en commun des premières visites faites par les observateurs. Les familles vivent maintenant les ultimes semaines de la grossesse.

Nourrisson. La littérature récente consacrée à l'analyse des premières interactions (Minde, 1986; Stern, 1977) nous guide dans la découverte du bébé réel. Les notions de compétence du bébé (Brazelton, 1973), de réciprocité (Brazelton, 1974) et d'accordage affectif ("affect attunement") (Stern, 1984), sont présentées, et préparent les observateurs à l'accueil attentif du bébé à venir.

Paternité. Les pères sont inclus dans les séances d'observation et ce, le plus tôt possible, afin d'établir une réelle alliance avec les visiteurs. En s'assurant dès le départ de leur participation et en organisant la première visite avec assez de flexibilité pour leur permettre d'être présents, les pères deviennent généralement intéressés et ils s'impliquent. Ils semblent prendre goût à partager leurs perceptions, et tant au sujet du bébé à venir que sur leur rôle de père. Les travaux de Yogman (1988) et de Pruett (1988), ainsi que l'excellente revue de la littérature de Henderson (1980), étoffent les discussions.

2e séance de Mise à jour A cette étape, les bébés sont nés et les familles se sentent attachées à leurs visiteurs et réciproquement. Il y a une abondance de matériel à observer et à partager, et les séances de discussion semblent bien courtes. Nous examinons les observations en rapport avec le "deuil du bébé imaginaire" et avec "l'amarrage" de l'enfant imaginaire sur le nouveau-né qui en devient le support (Soulé, 1985).

Fratrie. En sélectionnant à la fois des familles primipares et multipares, nous offrons la possibilité de constater les effets de l'expérience sur la parentalité, et d'assister prospectivement aux réaménagements psychiques chez les frères et soeurs aînés (Trause, Irvin, 1982). Les concepts de transfert et de contre-transfert fraternels sont évoqués. Nous envisageons la filiation à travers les générations successives dans les familles, ainsi que le rang de chacun des parents dans leur famille d'origine en rapport avec celui de leur nouveau bébé (Arbabanel, 1983). L'inscription transgénérationelle du désir parental émerge dans le choix du prénom de l'enfant (Tesone, 1988).

Foyer, emploi et garderies. Les participants considèrent ici les dilemmes de carrière et d'emploi et la question des garderies, en écoutant les parents qu'ils visitent et à l'aide des travaux de Gamble, Zigler (1986), de

Brazelton (1986) et de Schachere (1990). Ce sujet touche de près les résidents dans leur vie professionnelle aussi bien que personnelle.

Vicissitudes des premières relations. Nous abordons ici les frontières du pathologique. Nous soulevons les problèmes posés soit par la psychopathologie parentale, soit par des troubles (somatiques ou autres) chez les parents ou le bébé. Les recherches de S. Fraiberg, Adelson, Shapiro (1980) illustrent bien les "fantômes dans la pouponnière" qui marquent l'enfant imaginaire et trop souvent aussi l'enfant réel. Malgré notre processus de sélection des familles, il nous est arrivé d'observer le gel de l'élaboration de l'enfant imaginaire dans une famille où le père a développé un tumeur bénigne au cours de la grossesse. Nous avons également rencontré des cas où une malformation congénitale inattendue affectant le bébé réel a mis à l'épreuve l'accueil des parents, en raison du décalage entre la réalité et l'imaginé. Nous étions soulagés d'avoir prévu ces vicissitudes et d'y avoir préparé nos résidents, aidés par les travaux de Mintzer, Tronick, Brazelton (1984).

3e séance de Mise à jour - **La fin.** La terminaison des visites et des séminaires entraîne souvent une certaine nostalgie et un sentiment justifié d'incomplétude. Les résidents qui ont choisi de poursuivre six mois de plus ont souvent l'impression qu'ils vont profiter encore davantage de cette expérience et de ce qui s'est amorcé avec les familles. Les échanges réels et imaginaires entre les familles, les résidents et les animatrices sont souvent chargés d'émotion. Nous recueillons les rapports de synthèse et nous procédons à une évaluation écrite du programme par les résidents.

DISCUSSION ET SOMMAIRE

Nous pouvons résumer en six phases le processus vécu par les résidents dans ce programme d'observation parent-enfant:

1. L'observateur est dans une position privilégiée qui peut être très gratifiante. Ceux qui trouvent difficile de recevoir sans intervenir se plaignent "qu'il ne se passe pas grand-chose". Il faut parfois beaucoup de temps pour se sentir à l'aise dans le rôle d'observateur-participant.

2. L'écoute et la capacité de saisir les dimensions du bébé fantasmatique et du bébé imaginaire telles qu'elles se manifestent dans la tête des parents exige une attention égale et sans biais. Les observateurs doivent se montrer sensibles et réfléchis face aux autres et à eux-mêmes.

3. Les résidents ne sont pas tenus - et n'ont pas souvent la possibilité - d'assister à l'accouchement. Grâce aux liens établis lors des visites prénatales, ils participent néanmoins au vécu des familles autour de ce moment magique de la naissance. Ils doivent sentir qu'ils prennent part à la naissance, tout en restant à l'écart du travail et de l'accouchement.

4. La phase d'adaptation au bébé réel requiert tolérance et fluidité. Ces deux expressions de Winnicott, apparemment contradictoires, mais en fait complémentaires, illustrent bien l'aménagement requis de la part des parents et des résidents: "Un bébé, ça n'existe pas" ("There is no such thing as a baby") et "Apprendre à connaître son bébé" ("Getting to know your baby"). Un bon indice de l'évolution de cette phase tient dans la fréquence et la façon d'aborder le thème du bébé dans les discussions de groupe.

5. Certains observateurs participant au programme "court" de six mois ressentent l'interruption des contacts avec le bébé et la famille au terme de leur stage avec une certaine frustration. Ceux qui auront pu expérimenter une suspension du temps, une intemporalité psychologique, parviendront à conclure cette phase "suffisamment bien".

6. La plupart des participants reconnaissent les divers niveaux où s'opèrent de façon parallèle des processus d'évaluation: évaluation des nourrissons, des familles, des animatrices du séminaire et des résidents eux-mêmes. Cette **conscience et cette auto-critique** leur permettent de fournir une évaluation constructive et utile à la poursuite et à l'amélioration du programme.

CONCLUSION

Nous avons décrit dans ses grandes lignes une méthode d'observation qui s'inscrit dans la tradition psychanalytique, tout en comportant des modifications originales adaptées aux impératifs particuliers du programme de résidence, ce qui la rend accessible en tant qu'outil pédagogique à un plus grand nombre de professionnels de la santé.

L'observation directe parent-enfant développe chez les observateurs leur capacité d'attention aux dimensions du bébé fantasmatique, imaginaire et réel, autant en eux-mêmes que chez les autres. La capacité des participants à être et à ressentir, à "suspendre tout désir et tout jugement", et à élaborer à partir de ces expériences, se développe au fil des rencontres. Cette maturation personnelle et professionnelle ne s'accomplit pas sans certaines réticences, voire des résistances, comme en témoignent ces lignes d'un ancien résident en psychiatrie, reçues deux ans après sa participation à notre programme. À l'époque, ce jeune homme avait mis en question la pertinence de poursuivre ses observations au-delà de sa propre expérience de père. Il croyait qu'un travail clinique centré sur des relations pathologiques lui serait plus utile. Sa lettre récente témoigne d'une réflexion continue à propos de ses expériences d'observation. Il venait de découvrir l'article de Margaret Rustin (1988) sur les angoisses primitives rencontrées au cours d'observations du bébé. Il écrit: "J'ai trouvé cet article intéressant. Bien entendu, quand Rustin parle des angoisses que peuvent ressentir les observateurs, vous comprendrez que cela ne s'applique pas à moi! (J'espère que vous entendez mon ironie). En fait, j'ai trouvé qu'elle montrait bien l'anxiété des observateurs et comment celle-ci peut les conduire, en réaction, à remettre en cause la "nécessité" de telles observations".

Remerciements

Nos remerciements à Margaret Hayami qui nous assiste dans l'organisation de ce programme et qui a dactylographié le manuscrit.

Michelangelo, 1491, **la Madonne dans l'escalier**

This paper presents a method of parent-infant observation suitable for various groups of mental health workers, and particularly for residents in psychiatry at the Montreal Children's Hospital. Direct observation has been known to be a cornerstone for learning about child development and for understanding the psychodynamics of early relations. It is also relevant to acquiring psychotherapeutic skills that involve reconstruction and the understanding of transference and countertransference phenomena. The overall objectives, the specific goals, the subjects, the method, the themes discussed and the evaluation process are described.

Références

Arbabanel J. The Revival of the Sibling Experience during the Mother's Second Pregnancy. **Psychoanal Study Child** 1983; 38:353-377.

Bick E. Notes on infant observation in psychoanalytic training. **Int J Psychoanal** 1964; 45:558-565.

Bion WR. **Learning from Experience.** London: Heinemann, 1962 and Maresfield, 1984.

Boyer JP, Porret P. L'échographie et l'attente d'un enfant: mise en question du concept de deuil de l'enfant imaginaire et de ses utilisations. **Neuropsychiatr Enfance Adolesc** 1983; 39(2/3):72-77.

Brazelton TB. Issues for Working Parents. Infant Day Care. **Amer J Orthopsychiat** 1986; 56(1):14-25.

Brazelton TB. Neonatal behavioral assessment scale. **Clinics in Developmental Medicine.** Philadelphia: Lippincott, 1973:No 50.

Brazelton TB, Koslowski B, Main M. The origins of reciprocity. In: Lewis M, Rosenblum LA (eds). **The effect of the infant on its caregiver.** New York: Wiley, 1974.

Caplan PJ, Hall-McCorquodale I. Mother-blaming in Major Clinical Journals. **Amer J Orthopsychiat** 1985; 55(3):345-353.

Caplan PJ, Hall-McCorquodale I. The Scapegoating of Mothers: A Call for Change. **Amer J Orthopsychiat** 1985; 55(4):610- 613.

David M. Danger de la relation précoce entre le nourrisson et sa mère psychotique: une tentative de suicide. **Psychiatr Enfant** 1981; 24(1):151-196.

Dowling S, Rothstein A (eds). **The significance of infant observational research for clinical work with children, adolescents and adults - Workshop series of the American Psychoanalytic Association.** Madison (Conn): International Universities Press, 1989.

Fraiberg S, Adelson E, Shapiro V. Ghosts in the Nursery: A psychoanalytic approach to the problems of impaired infant-mother relationships. In: Fraiberg S. ed. **Clinical Studies in Infant Mental Health.** The First Year of Life. New York: Basic Books, 1980:164-196.

Freud WE. Infant observation: Its relevance to psychoanalytic training. **Psychoanal Study Child** 1975; 30:75-94.

Gamble TJ, Zigler E. Effects of Infant Day Care: Another Look at the Evidence. **Amer J Orthopsychiat** 1986; 56(1):27-42.

Golse B. La filiation: sentiment, croyance ou conviction. **Neuropsychiatr Enfance Adolesc** 1988; 34(11/12):461-468.

Henderson J. On Fathering (The Nature and Functions of the Father Role). Part I: Acquiring An Understanding of the Father Role. Part II: Conceptualization of Fathering. **Can J Psychiatry** 1980; 25:403-431.

Klaus MH, Kennel JH. The family during pregnancy. In: Klaus MH, Kennel JH. **Parent-Infant Bonding,** 2nd edition. Mosby, St. Louis, 1982:1-21.

Lebovici S. Fantasmatic Interaction and Intergenerational Transmission. **Infant Mental Health Journal** 1988; 9(1):10-19.

Lester EP, Notman MT. Pregnancy, developmental crisis and object relations. **Int J Psychoanal** 1986; 67:357-366.

Minde K, Minde R. Patterns of Normal Development. In: **Infant Psychiatry.**

Beverly Hills: Sage Publications, 1986:39-51.

Mintzer H, Als H, Tronick EZ, Brazelton TB. Parenting an Infant with a Birth Defect. The Regulation of Self-Esteem. **Psychoanal Study Child** 1984; 39:561-589.

Piontelli A. Infant Observation from Before Birth. **Int J Psychoanal** 1987; 68:453-463.

Pruett KD. The nurturing male: a longitudinal study of primary nurturing fathers. In: Cath SH, Gurwit AK, Ross JM eds. **Fathers and their Families. Analytic Press,** 1988:389-405.

Rustin M. Encountering primitive anxieties: some aspects of infant observation as a preparation for clinical work with children and families. **J Child Psychiatry** 1988; 14(2):15-28.

Saucier J-F. Essai sur la prevention chez le nourrisson. **Actualités psychiatriques** 1983; 9:62-70.

Schachere K. Attachment between working mothers and their infants: The Influence of Family Processes. **Amer J Orthopsychiat** 1990; 60(1):19-34.

Soulé M. **Mère mortifère, mère meurtrière, mère mortifiée**. Paris:ESF, 1978.

Soulé M. L'enfant dans la tête - l'enfant imaginaire (1982). In: Brazelton TB, Cramer B, Kreisler L, Schäppi R, Soulé M. **La dynamique du nourrisson ou quoi de neuf bébé?** Paris: ESF, 2e éd 1983:136-175.

Soulé M. L'enfant imaginaire, l'enfant dans la tête. In: **Objectif bébé - Revue Autrement.** Paris, 1985; 72:47-56.

Stern D. The infant's repertoire. In: Stern D. **The first relationship**. Cambridge (Mass): Harvard University Press, 1977:33-49.

Stern D. Affect attunement. In: Call JD, Galenson E, Tyson RL ed. **Frontiers of Infant Psychiatry II.** New York: Basic Books, 1984.

Tesone JE. L'inscription transgénérationnelle du désir parental dans le choix du prénom de l'enfant. **Neuropsychiatr Enfance Adolec** 1988; 36(11/12):503-513.

Trause MA. and Irvin NA. Care of the sibling. In: Klaus H, Kennell H. **Parent-infant bonding.** St. Louis, Toronto, London: CV Mosby, 1982:110-129.

Tuters E. The relevance of infant observation to clinical training and practice: an interpretation. **Infant Mental Health Journal** 1988; 9(1):93-104.

Watson EJ, Johnson AM. The emotional significance of acquired physical disfigurement in children. **Amer J Orthopsychiat** 1958; 28:85-97.

Winnicott DW. Primary Maternal Preoccupation (1956). In: **Through Paediatrics to Psychoanalysis.** London: The Hogarth Press and the Institute of Psycho-analysis, 1982:300-305.

Winnicott DW. **The Child and the Family** - First Relationships. London: Tavistock, 1957:7-12; 33-37; 38-42.

Winnicott DW. The Theory of the Parent-Infant Relationship. In: **Int J Psychoanal** 1960; 41:585-595.

Yogman MW. Observations on the Father-Infant Relationship. In: Stanley H, Cath SH, Gurwitt AR, Ross JM eds. **Father and Child - Developmental and Clinical Perspectives.** Boston: Little, Brown and Company, 1982:101-122.

Leonard de Vinci, 1478, **La Madonne et l'enfant avec un plateau de fruits**

P.R.I.S.M.E. automne 1991, vol. 2, no 1

APPROCHES EN PSYCHIATRIE DU NOURRISSON

Suzanne DONGIER
Helena LOBATO
Sylvie LAPLANTE

Suzanne **Dongier** est pédopsychiatre et psychanalyste, directeur du Programme pour les très jeunes enfants et leurs parents.
Helena **Lobato**, psychologue et Sylvie **Laplante**, ergothérapeute, sont toutes deux associées à ce programme.
Cet article a été fait en collaboration avec T. **Derome**, ergothérapeute, P. **Jinah**, travailleuse sociale, V. **Litalien**, puéricultrice, C. **Routhier**, musicothérapeute et E. **Taylor**, spécialiste de la petite enfance.

Au cours de la dernière décennie, la psychiatrie du nourrisson et du très jeune enfant s'est rapidement développée à travers le monde, tant aux Etats-unis, en Europe qu'au Canada. Grâce à des méthodes d'observation inspirées par les éthologues et aux techniques de micro-analyse d'enregistrements vidéo utilisées par les psychologues, la recherche fondamentale a enrichi de manière spectaculaire les approches cliniques. De nombreux programmes ont vu le jour pour aider les familles en butte à deux grands types de problèmes:

- dans le cas où une situation de risque met le développement de l'enfant en danger; le risque est soit présent dans l'environnement (négligence, abus, parent malade), ou encore, lié à l'état de santé de l'enfant (prématurité, malformation congénitale, etc.).

- dans le cas où l'enfant présente personnellement des difficultés dans son

Le Programme pour les très jeunes enfants et leurs parents de l'Hôpital Douglas a été mis sur pied dans le cadre du Département de psychiatrie dirigé par le Dr Luc Morin. Il s'agit d'un des services développés au sein du réseau hospitalier affilié à la Division de pédo-psychiatrie de l'Université McGill sous la direction du Dr Klaus Minde.

LE PROGRAMME DE L'HÔPITAL DOUGLAS POUR LES TRÈS JEUNES ENFANTS ET LEURS PARENTS

Après une brève introduction de la psychiatrie du nourrisson, branche en plein essor de la pédo-psychiatrie, les auteures décrivent les aspects plus spécifiques de leur programme: caractéristiques de la clientèle reçue, processus d'évaluation et types d'interventions proposés. Quelques exemples cliniques illustrent les interventions choisies en regard des problèmes présentés et les résultats thérapeutiques obtenus.

organisation intérieure (manifestées par des troubles du sommeil, pleurs, cris, agressivité, etc.).

Formulons d'abord quelques idées de base:

1. Le bébé seul n'existe pas. Il se définit et se construit au sein des interrelations avec sa mère et ses parents. Si, en psychiatrie de l'enfant, nous étions habitués à considérer la famille dans son ensemble, à resituer dans son contexte le problème présenté par un enfant, ici, la nature transactionnelle de la relation entre le bébé et sa mère est encore plus évidente: l'environnement et le nourrisson s'influencent l'un l'autre selon un processus de changement en continuelle évolution. L'action thérapeutique devra donc porter sur l'enfant et son environnement, voire se situer dans l'espace commun à l'un et à l'autre (Winnicott).

2. La grande sensibilité de l'enfant à ce qui se passe autour de lui, - en particulier, au visage humain en face de lui et, de façon générale, au style des échanges et des soins dont il est l'objet, - a été démontrée, par exemple, par l'expérience de Tronick (1988). Dans la situation du "visage impassible" (Still face), on demande à la mère, après une période d'interactions habituelles avec son enfant, de lui présenter un visage parfaitement immobile et sans réponse. On a remarqué que l'enfant essaie d'abord de déclencher une réponse chez la mère, puis il prend une expression sérieuse et manifeste rapidement son malaise, en devenant agité ou en se détournant de sa mère. Ceci peut donner une idée de ce qui arrive à l'enfant dont la mère est déprimée.

Cependant, à côté d'une grande sensibilité, il existe chez l'enfant une grande **plasticité** de ses réactions et un haut niveau de **participation active**.

3. Le processus d'**attachement** se construit dès le début de la vie, de même que son autre face, la capacité à se séparer, à laisser l'autre, tout en le gardant en soi - tâche majeure négociée à la fois par la mère et par l'enfant (R. Spitz, J. Bowlby, M. Mahler).

4. La période féconde qui entoure la venue d'un enfant et son premier développement, à la fois si rapide et complexe, représente pour les parents une époque de réorganisation et de remise en question à tous les niveaux (rythmes de vie quotidienne, valeurs, rôles), qui peut entraîner la réactivation d'anciens conflits, mais aussi, la possibilité d'atteindre à une grande efficacité au plan des interventions.

Cette période pourra être marquée par des résistances, des défenses accrues ou plus primitives. Nous citerons ici deux exemples. Certaines jeunes mère craignant par-dessus tout la mise en question de leur image d'elle-même ne veulent voir que l'énorme et rassurante poussée du développement neurobiologique qui leur donne le sentiment que tout va bien, qu'elles sont de bonnes mères, et d'autant plus que le bébé grossit bien. Un deuxième type de défenses consiste en l'emploi massif de mécanismes de projection qui font jouer à l'enfant des rôles qui ne lui appartiennent pas: ce sont les fameux "ghosts in the nursery" où l'enfant réincarne les vieux fantômes qui hantent sa mère depuis sa jeunesse (S. Fraiberg).

Des **approches thérapeutiques** d'inspirations variées se sont développées un peu partout sous forme de programmes qui sont cependant parfois de brève durée, à cause de fonds de recherche fournis sur une base temporaire. Après les programmes de "stimulation" à visées surtout cognitives, l'intérêt très vivant pour les interactions parents-bébé a fait naître quantité de tentatives résumées dans un article récent de Rose M. Bromwich (1990).

Cette auteure décrit 10 principes et stratégies qui constituent l'essence du modèle interactionnel. Tout en favorisant la **qualité des interactions** (soutien de la confiance en soi, perception du bébé par les parents, etc.), ces stratégies visent à identifier les sources de support et de stress dans la famille, et ainsi, à mieux en tenir compte.

La conceptualisation des relations parents-bébé a aussi remis au premier plan la complexité des relations interpersonnelles et l'importance des représentations internes et des interactions fantasmatiques. Ce n'est pas seulement le pattern interactif qui importe mais ce qui est communiqué et expérimenté à travers lui par les deux partenaires. On s'est donc efforcé de comprendre l'expérience subjective des parents avec leur enfant, par exemple, autour du concept de l'enfant imaginaire auquel la mère compare inconsciemment son bébé, et du rêve d'une relation idéale qui pourrait réparer l'échec vécu par la mère avec sa propre mère. Ceci peut s'intégrer dans une psychothérapie d'inspiration psychodynamique où les manifestations de transfert sur l'enfant sont interprétées de préférence au transfert avec le thérapeute.

Plus récemment, un effort d'objectivation des résultats thérapeutiques a commencé à se manifester. Si l'on tient compte de la multiplicité des facteurs en cause et de la complexité de nos interventions, il est évidemment difficile d'arriver à étudier des groupes suffisamment nombreux pour permettre un traitement statistique valable. Nous citerons ici un exemple d'une telle tentative: B. Cramer, C. Robert-Tissot, D. Stern et coll. ont publié en 1990 une recherche qui compare les résultats de la guidance interactive à ceux d'une brève psychothérapie psychodynamique mère-enfant. (Ces deux méthodes apportent une nette amélioration dans des cas de troubles fonctionnels et de troubles du comportement chez des enfants de moins de 30 mois).

De nombreux exemples d'interventions peuvent également être trouvés, en particulier dans le "*Infant Mental Health Journal*", organe de l'Association Mondiale de psychiatrie du nourrisson et des disciplines connexes (WAIPAD) et dans les compte-rendus des congrès internationaux organisés par cette association.

CARACTÉRISTIQUES DE NOTRE PROGRAMME

Notre approche, s'inspirant de nombreux travaux (B. Cramer, F. Dolto, R. Emde, S. Fraiberg, P. Greenspan, S. Lebovici, D. Stern, etc.) vise à aider parents et enfants à mieux se connaître, mieux communiquer et à en tirer plus de plaisir. Notre travail avec eux porte donc essentiellement sur ce qui entrave ce processus.

Population et problèmes présentés

Nos services s'adressent à des parents ayant de jeunes enfants de zéro à trois ans qui se trouvent en situation de risque, en particulier sur les plans émotionnel et affectif de leur développement. Ce risque peut être détecté par des professionnels de la santé ou des intervenants qui connaissent l'enfant et sa famille et qui continueront d'être impliqués par la suite auprès d'eux.

Dans d'autres cas, les parents ressentent eux-mêmes des difficultés dans leur relation avec leur enfant. Ils viennent exprimer leurs inquiétudes quant à leur rôle de parents, ou encore, ils sont désireux d'obtenir des informations sur le développement normal de l'enfant. Enfin, l'enfant lui-même présentera divers troubles du comportement qui inquiètent les parents (tels des troubles du sommeil, des crises de pleurs, de colère, de l'hyperactivité, etc.).

Sources de référence et critères d'admission

Certaines familles demandent directement de l'aide à notre service où elles sont envoyées par leur pédiatre. La plupart des cas nous sont cependant adressés par les services sociaux (CLSC et Protection de la jeunesse) ou par les services psychiatriques pour adultes de l'hôpital (ou d'autres centres hospitaliers). Souvent, la famille reçoit déjà de l'aide de plus d'un organisme.

En résumé, certaines familles nous consultent pour des troubles concernant l'enfant. Mais le plus souvent, nous sommes en présence, soit de pathologies psychiatriques parentales (en général, la mère est la patiente connue), de sévérité variée (psychose, dépression post-partum, personnalité borderline, anxiété), soit de familles à problèmes multiples. Dans la plupart des cas, il existe une situation de risque immédiat pour l'enfant ou pour son développement ultérieur.

Les familles peuvent nous être adressées pour une consultation en vue d'une opinion et de nos recommandations. Par ailleurs, l'acceptation d'un cas en traitement repose essentiellement sur la motivation de la famille, encore que nous sachions bien que la motivation est souvent ambivalente. Nous cherchons donc dès le début à apprécier le niveau de motivation et la capacité de la famille à établir une alliance avec nous, ce qui suppose parfois un travail de longue haleine.

Actuellement, nous suivons 27 familles, soit 35 enfants (25 garçons, 10 filles) dont 7 bébés de moins d'un an, 12 enfants de un à deux ans, 13 enfants de deux ans et plus, trois de plus de trois ans. Plus de la moitié des mères vivent seules (séparées, divorcées, etc.) avec leur enfant et la moitié reçoivent l'aide du Bien-Etre Social.

Processus d'évaluation

Le processus d'évaluation se déroule en plusieurs étapes successives. La première rencontre avec l'enfant et sa famille (si possible, au complet) peut être faite sous forme d'entrevue avec toute l'équipe (parfois derrière le miroir unidirectionnel) ou impliquer deux ou trois professionnels seulement (un psychiatre est cependant toujours présent). Il s'agit alors de prendre connaissance de l'histoire de l'enfant et de la famille, des problèmes présentés et d'observer le fonctionnement de l'enfant au sein de sa famille et dans son contact avec nous. Une première impression diagnostique est alors discutée entre les intervenants et partagée avec la famille.

Dans un deuxième temps, nous faisons une visite à domicile pour observer l'enfant dans son contexte de vie habituel. Puis, une autre observation de l'enfant et de ses parents aura lieu lors de leur visite à un de nos groupes du matin. Enfin, une évaluation du développement de l'enfant est toujours réalisée au moyen de tests de développement (test de Bailey, Stanford-Binet (après deux ans et demi), test de Griffith).

Une observation détaillée et quantifiée des interactions entre l'enfant et ses parents peut être faite, selon le cas, en utilisant divers instruments: échelle de Massie-Campbell, échelle de Chatoor, échelle CARE-Index de P. Crittenden, etc.. Les mécanismes d'adaptation employés par l'enfant sont mesurés par le "Early Coping Inventory" de S. Zeitlin. D'autres outils sont également utilisés: questionnaire de tempérament de Carey et Mc Dewitt pour les nourrissons (ITQ) et de Fullard, pour les enfants de deux à quatre ans (TTQ), questionnaire de santé mentale (Scorbebe de P. Valla, liste des troubles de comportement de Achenbach). Le niveau de fonctionnement des parents, les attitudes parentales, le soutien reçu et perçu par la famille peuvent aussi être évalués par divers questionnaires.

Au terme de l'évaluation, nous sommes en mesure de porter un diagnostic centré sur l'enfant et sur la famille, de déterminer des priorités et de choisir une ou plusieurs approches davantage adaptées au cas.

DESCRIPTION DES INTERVENTIONS THÉRAPEUTIQUES

A) LE PROGRAMME DU MATIN: groupes d'enfants et de parents

L'unité offre quatre groupes par semaine: 2 groupes francophones et 2 anglophones. Nos groupes accueillent généralement de six à huit enfants (de 0 à 3 ans) et leurs parents pour des périodes de deux heures, soit de 9h15 à 11h15.

Ces groupes sont conçus pour favoriser les interactions entre parents et enfants au moyen de diverses activités structurées et non-structurées. Les activités sont généralement d'une durée de 15 minutes et sont planifiées pour s'adapter au niveau de développement des enfants. Elles couvrent toutes les sphères de développement: motricité globale et fine, langage, activités sociales et récréatives. L'activité de lecture favorise les interactions parents/enfants alors que le groupe de musicothérapie engage tout le groupe à interagir ensemble. En outre, lecture, musique, peinture au doigt introduisent chacun, enfant et parents, à une découverte de sa représentation du monde et de ses propres émotions.

Nous insisterons ici sur l'importance de la **musicothérapie** dans le cadre du programme en soulignant son influence sur la communication. Son utilisation est en fait très variée: séances de groupe avec les enfants, séances conjointes avec les enfants et les parents, travail thérapeutique individualisé avec une mère et son enfant ou parfois, avec le couple et leur enfant. La musicothérapeute fait appel au langage non verbal, corporel et sonore, en utilisant des instruments de musique faciles à jouer pour les enfants et qui ont une bonne qualité sonore.

Grâce aux instruments et aux sons produits, l'enfant a la possibilité d'explorer le monde et d'intervenir sur lui. En exprimant sa joie, sa colère ou sa tristesse dans un espace qui le soutient et l'écoute, il suscite des réactions chez les autres et découvre ainsi l'impact qu'il peut avoir sur eux. Aux parents, la musicothérapie offre un moyen d'entrer en contact avec leur enfant. Les instruments, objets intermédiaires, permettent de créer un lieu de rencontre. La mère découvre les rythmes particuliers de son enfant, apprend à être à son écoute et à en suivre les variations: le synchronisme qui se développe ainsi soutient et renforce leurs liens affectifs. La présence du père donne l'occasion au couple de faire ces découvertes ensemble. Pour les parents, les instruments de musique ou les comptines pourront raviver bien des souvenirs, parfois douloureux, de leur propre enfance. Dans ce cas, la musicothérapeute a aussi le rôle de nourrir l'enfant en manque à l'intérieur du parent, amenant celui-ci, grâce à cette expérience vécue, à offrir en retour une meilleure qualité de présence, de soutien et d'amour à son enfant.

Comme la musique, **la thérapie par la danse et le mouvement** est une technique très riche, ouvrant beaucoup de possibilités à une population comme la nôtre. Les interactions corporelles entre la mère et l'enfant, parce qu'elles interviennent à un niveau préverbal, peuvent ainsi permettre de renforcer les échanges établis sur d'autres modes.

Les buts visés par les thérapeutes au cours de la première heure se situent à plusieurs niveaux:

- Informer, éduquer les parents en réponse à leurs demandes, par exemple à des questions sur l'alimentation, les méthodes de discipline, le développement de l'enfant, le choix des jouets suivant l'âge.

- Encourager et faciliter la spontanéité et la participation des parents à tous les niveaux, en les aidant à communiquer avec leur enfant et à être attentif à ce qu'il communique.

- Sensibiliser les parents au développement de leur enfant, à l'observation des changements qui surviennent chaque jour; atténuer les attentes non réalistes; faire découvrir le plaisir d'observer l'enfant en train de jouer et celui de participer à ses jeux.

- Rassurer les parents lors de situations difficiles, par exemple, lorsque s'amorce un changement.

Le rôle de support apporté par le groupe est très important pour les parents, en raison même de sa continuité. Un système d'écoute active est aussi offert et permet d'intervenir en cas de besoin. Le modeling est une autre méthode utilisée dans nos interventions mais qui n'est efficace qu'auprès des parents ayant des capacités de réflexion, d'identification et de réceptivité suffisantes pour établir une relation de confiance et une alliance positive; par cette technique qui a l'avantage de ne pas passer par les mots, on vise à enrichir le répertoire d'interventions des parents auprès de leurs enfants. C'est donc par un cheminement personnel aidé de moyens adaptés à chaque cas que les parents gagnent l'impression d'avoir un meilleur contrôle sur leur vie et qu'ils acquièrent, avec l'atténuation des sentiments de culpabilité et de dévalorisation, une image d'eux-mêmes comme "bons" parents.

Après la première heure d'activités, on partage la collation qui précède la séparation - processus délicat et progressif, comme l'on sait - des parents et des enfants. Durant la deuxième heure, les enfants poursuivent leurs activités mais de manière moins structurée, avec davantage de jeu libre et une approche plus individuelle adaptée aux besoins spécifiques de chacun, tant aux plans psychomoteur, émotionnel que social; c'est ainsi que le travail pourra se centrer sur tel ou tel aspect relevé à la suite de l'évaluation initiale.

B) LE PROGRAMME DU MATIN: Psychothérapie de groupe pour les parents

Pendant cette deuxième heure, les parents se réunissent avec un thérapeute dans une pièce contiguë. L'approche de groupe obéit aux principes et aux méthodes traditionnels à ce type d'intervention mais auxquels nous avons apporté certaines modifications jugées indispensables.

L'accent est mis sur la façon d'envisager des problèmes réels, tout en prenant soin de déjouer la tendance qu'ont certains membres à se considérer seuls responsables de leur situation. Il est par ailleurs important que le thérapeute ait une bonne connaissance des problèmes traités et qu'il soit ainsi en mesure de faire des recommandations pratiques, tout en se gardant de suggestions qui seraient inappropriées. Le leader du groupe doit être disponible en tant qu'individu et non comme un instrument thérapeutique neutre ou encore, comme simple écran sur lequel les transferts sont projetés.

De façon générale, les objectifs poursuivis dans nos interventions thérapeutiques se situent à divers niveaux, tels celui d'éduquer et d'informer, ou encore, de ranimer l'espoir et procurer l'encouragement nécessaire pour faire face à des problèmes émotionnels. Parmi les nombreuses stratégies utilisées, nous nommerons les suivantes: le recadrage, la récapitulation corrective, le recours à l'universalité, la catharsis, la désensibilisation, l'identification, le modeling et la cohésion du groupe devant l'établissement de priorités et la prise de décision.

Les modalités thérapeutiques plus spécifiques à notre programme d'intervention pourraient être décrites comme suit:

a) **La contiguïté des groupes d'enfants et de parents:**
Le groupe de parents se réunit dans un local adjacent aux salles d'activités où les bébés se trouvent occupés de leur côté; ainsi s'ajoutent, aux objectifs mentionnés, la discussion et la résolution de l'angoisse de séparation.

b) "**L'espace sécuritaire**", qui se trouve créé par le fait que le groupe des mèresparticipent à un ensemble d'interventions où sont travaillés des aspects tels que la confiance, la confidentialité, la spontanéité aussi bien que la tolérance, le sentiment d'appartenance et de mutualité face au groupe, etc.

c) Le **soutien psychologique**, essentiel dans ces groupes de parents qui ont surtout besoin d'une approche très souple. En raison de la fragilité et de la vulnérabilité des mères (vivant souvent seules), les questions reliées au pouvoir, aux alliances et aux rivalités sont laissées à l'arrière-plan. L'accent est plutôt mis sur l'amélioration de l'estime de soi, la confiance et le respect d'autrui.

Il peut cependant y avoir contre-indication si un participant éprouve un degré intolérable de stress ou si ses réactions exercent un effet négatif sur les autres membres du groupe. Dans ce cas, une approche individuelle sera plutôt choisie. Il nous est arrivé par ailleurs de réunir dans un même groupe des parents de personnalités et de niveaux socio-culturels différents qui ont pu travailler ensemble en se manifestant tolérance et support mutuels.

C) AUTRES INTERVENTIONS

Nous ne ferons que mentionner d'autres approches: séances de traitement de la dyade mère/enfant, de la famille ou du couple, thérapie individuelle de la mère, visites à domicile. Nous les utilisons, suivant les cas, en association ou non avec le programme du matin qui représente en quelque sorte l'axe principal de traitement. D'autres interventions sont aussi offertes telles, par exemple, des séances de psycho-éducation proposées aux parents une fois par mois et qui consistent en une présentation sur un thème précis suivie de discussion.

Les familles fréquentent donc notre service une, deux ou trois fois par semaine (visites en externe et programme du matin) et chacune d'entre elles est suivie par un membre du personnel qui en est responsable avec le psychiatre. Le plan de traitement est régulièrement discuté et remis à jour à l'occasion de réunions d'équipe hebdomadaires.

EXEMPLES ILLUSTRATIFS

Cas No 1. EPISODE PSYCHOTIQUE BREF CHEZ LA MERE

Vincent est âgé d'un mois quand nous le recevons avec ses parents. C'est le premier enfant d'un couple de professionnels, âgés de 28 et 32 ans, mariés depuis plusieurs années. Jacqueline sort tout juste d'une hospitalisation pour épisode psychotique post-partum avec anxiété majeure, insomnie, nombreux symptômes somatiques, état d'allure maniaque (sa mère avait présenté des épisodes dépressifs à répéti-

tion). Elle a été séparée du bébé après une naissance ressentie comme très traumatisante au cours de laquelle elle avait exprimé des idées très anxieuses à propos du bébé, ayant le sentiment qu'elle ne l'aimait pas, qu'elle pourrait lui faire du mal, cesser de le nourrir, fuir au loin. A la sortie de l'hôpital, elle reçoit encore de fortes doses de médicaments.

Jacqueline est une jeune femme sérieuse et réservée, à l'allure obsessionnelle, et qui se sent diminuée, physiquement et mentalement, disant ne pas "comprendre son bébé". Le jeune père, Roger, est très spontané et très attentif au bébé, mais il se sent débordé, malgré la présence de sa mère venue de loin afin de l'aider pendant l'hospitalisation de Jacqueline.

La famille reçoit de l'aide du CLSC (visites d'une infirmière et d'une aide-ménagère). Vincent est suivi régulièrement par son pédiatre et Jacqueline vient de commencer une psychothérapie à l'extérieur. Roger, de son côté, est déjà engagé depuis longtemps dans une psychothérapie individuelle.

Interventions:

Nous proposons aux parents de les voir avec leur enfant une fois par semaine dans notre service et d'établir le contact avec tous les intervenants. Cette approche se prolonge cinq mois. Après deux mois environ, nous tentons de coupler les rencontres avec une autre famille, mais Jacqueline prend peur devant les problèmes qu'elle perçoit chez les autres parents, et plus tard, sans doute pour la même raison, elle ne désirera pas se joindre au programme du matin.

Malgré la multiplicité des interventions (ou grâce à elles) en dehors de notre programme, nous réussissons à travailler à plusieurs niveaux. Notre premier but est d'aider les parents à découvrir leur bébé et, devant les sentiments d'accusation et d'incompréhension existant dans le couple, les amener à mieux communiquer ensemble à son sujet. Jacqueline éprouve en effet beaucoup d'ambivalence vis-à-vis de l'aide reçue ou non reçue de son mari. Chacun ayant son thérapeute individuel à l'extérieur, nous pouvons centrer le travail autour du bébé et sur les attitudes et sentiments du couple en tant que jeunes parents et jeunes époux, à l'occasion de cette intense remise en question que signifie la naissance de Vincent pour chacun d'eux. Le couple avait déjà connu des conflits importants et demeurés mal résolus. Par ailleurs, tous deux se trouvent maintenant à un moment crucial du développement de leur propre carrière avec des décisions complexes à prendre.

L'évolution a été excellente chez ce jeune couple. Vincent, après une période de crises de coliques et de pleurs, s'est développé très harmonieusement sur tous les plans.

Cas No 2. FAMILLE A PROBLEMES MULTIPLES AVEC TROIS JEUNES ENFANTS

Les problèmes présentés lors de la référence de cette famille sont multiples: violence conjugale, abus physique des enfants, agressivité chez les deux garçons,problèmes d'attachement entre la mère et les deux plus jeunes enfants, Simon et Jocelyne, difficulté de séparation entre la mère et Daniel, l'aîné.

Les deux parents viennent de milieux socio-culturels perturbés et défavorisés. Agé de 23 ans, Sylvain présente des problèmes d'alcoolisme et de toxicomanie depuis l'âge de 13 ans; arrêté en décembre 1989, il a été détenu jusqu'en juillet 1990. Ginette, 24 ans, battue par un père violent et victime d'inceste, a été placée en famille d'accueil à 17 ans. Sa propre mère a souffert de violence conjugale.

Sylvain et Ginette se connaissent depuis leur enfance (ils sont allés à l'école ensemble). Depuis la sortie de prison de Sylvain, ils ne vivent plus ensemble mais continuent de se voir.

Chacun des trois enfants présente des problèmes spécifiques de développement:

Daniel a 30 mois au moment de l'admission au programme. Il présentait une fissure labiale à la naissance qui fut corrigée par la suite. Il souffre d'asthme et d'otites à répétition. Actuellement, on observe un retard global de développement (à la frontière) et un retard de langage important.

Simon, 22 mois, est né prématurément (27 semaines). Il a présenté des arrêts respiratoires et fait un séjour prolongé à l'hôpital (de 2 à 3 mois). C'était un bébé fragile souffrant d'asthme et de maladies fréquentes (bronchite, pneumonie). Il présente un retard global de développement, en particulier, une lenteur d'acquisition du langage expressif et réceptif.

Jocelyne a 8 mois. Les parents ont songé à un avortement. Elle a été hospitalisée pour asthme et bronchite et gardée en observation prolongée. Le développement est dans la basse moyenne dans les deux sphères (échelles mentale et motrice du Bailey). La marche et l'équilibre sont précaires. En outre, des comportements inappropriés sont signalés: elle frappe sa tête contre le sol.

Interventions et plans de traitement

Les deux garçons sont placés au Centre d'accueil Mainbourg puis, en famille d'accueil (DPJ). Des visites progressives à la maison sont organisées (3 jours/semaine). Le père n'a cependant pas le droit de visite à la maison.

La mère peut rencontrer individuellement une psychologue au CLSC une fois par semaine. Le père a son propre programme de traitement: rencontres individuelles avec un psychologue, groupe d'hommes violents, groupe d'alcooliques anonymes.

1. Nous proposons aux parents une visite hebdomadaire avec les trois enfants dans le cadre de notre programme: groupes d'activités, groupe de discussion, interventions en musicothérapie. Le père ne participe que très rarement.

2. Une liaison étroite est instituée entre les ressources: le service social, impliqué dans ce cas depuis 1989, (trois travailleurs sociaux successifs); le Mainbourg, puis la famille d'accueil; l'éducateur qui fait une visite hebdomadaire à domicile depuis la mi-février 1991, et enfin, la thérapeute de la mère au CLSC. La liaison avec le père se fait par l'intermédiaire des travailleurs sociaux. Plusieurs rencontres multidisciplinaires avec les divers intervenants impliqués aboutissent à la recommandation de la fréquentation d'un jardin d'enfants pour Jocelyne et d'une garderie ou centre de jour pour les garçons afin de favoriser la transition avant leur retour au foyer.

Problèmes et difficultés

Après un an d'interventions serrées, les problèmes sont encore sérieux:

1. On note toujours une déficience de l'attachement parents/enfants avec une perception perturbée de chacun des enfants: Daniel est perçu comme le “bon” enfant, Jocelyne comme la “mauvaise”, et Simon, entre les deux, est considéré comme le “collant”. L'identification de la mère à sa fille joue en défaveur de cette dernière: “Elle est pas belle, pas fine, parce qu'elle est comme moi!”

2. L'éloignement du père, d'abord, par ordre de la Cour, causé par son emprisonnement, la mésentente conjugale et sa difficulté à assumer le rôle de parent sont encore présents. Il existe une méconnaissance de sa dynamique, de ses besoins, mais une amélioration se fait jour depuis que l'éducateur fait des visites à la maison.

3. Ginette, marquée par une faible estime de soi et une absence de plaisir dans la fonction parentale et dans sa vie en général, a toujours de la

difficulté à se mettre au niveau de ses enfants. Elle craint la relation thérapeutique individuelle malgré sa demande (elle manque souvent ses rendez-vous, ne se remet pas en question). Enfin, il existe un clivage dans ses rapports avec les intervenants.

Cependant, on relève des points positifs.

Les interventions hebdomadaires de notre programme assurent à chaque enfant une certaine protection pendant les premiers stades du développement et une sensibilisation de la mère au développement de ses enfants. “J'ai plus de patience et je sais mieux jouer avec eux”, dit-elle. Une attention particulière est donnée à Jocelyne qui habite chez la mère.

Cas No 3. MÈRE AVEC PROBLÈMES NÉVROTIQUES. MAUVAISE IMAGE DE SOI CHEZ LA MERE ET CHEZ LA FILLE

Annie, 29 ans, ancienne secrétaire, actuellement sous le Bien-Etre social, vient nous voir alors que sa fille Colette est âgée de 14 mois. Elle nous est adressée par le CLSC en raison de relation difficile entre la mère et l'enfant, et ceci, depuis l'âge de 6 mois.

Problèmes de l'enfant: *Colette est décrite par sa mère comme un bébé difficile, exigeant, “une petite fille égoïste”. Elle présente des crises de colère et de pleurs, n'aime pas partager, “fait exprès pour faire fâcher sa mère”. Colette présentera de nouveaux problèmes à chaque période de son développement (par exemple, au moment de l'apprentissage de la propreté) avec tendances régressives et insatisfaction d'elle-même. C'est une petite fille à l'allure pensive qui tend à se refermer sur elle-même.*

Problèmes de la mère: *Annie se pose constamment des questions sur elle-même, sur ses attitudes, et se sent très agressive vis-à-vis de Colette. Elle doit parfois s'isoler un moment pour ne pas lui faire mal. Elle avait déjà présenté des crises d'angoisse avec claustrophobie et a été traitée pendant quelques mois. De son enfance, elle ne garde pas de bons souvenirs. Son père était alcoolique et ses parents se sont séparés quand elle avait 8 ans. Sa mère a toujours été perçue comme peu disponible. Maintenant, Annie n'aime pas l'attention que porte la grand-mère à la petite Colette.*

C'est à l'occasion d'un voyage de plusieurs mois fait avec un ami qu'elle était revenue enceinte de Colette (grossesse non planifiée); la relation avec cet ami avait été rompue dès le retour de voyage. Actuellement, elle désire retourner aux études (niveau Cegep). Elle nous apprend qu'elle est de nouveau enceinte et qu'elle ne sait pas ce qu'elle va faire de cette grossesse, de cette nouvelle relation avec un autre homme non-responsable.

Interventions:

Nous proposerons successivement des interventions à différents niveaux, tout en réévaluant à mesure les problèmes et les aspects psychodynamiques sous-jacents.

1. Dans un premier temps, nous préconisons la participation au programme du matin (1 fois par semaine) centré sur la relation mère/fille. Une amélioration se dessine. Survient la naissance de la deuxième fille.

2. A la reprise régulière du programme du matin, la mère demande aussi une approche individuelle; elle se sent ambivalente, insatisfaite, et se questionne sur les problèmes répétés qu'elle vit avec ses partenaires successifs. Les projections qu'elle fait sur sa fille aînée sont reliées à ses propres attentes, aux déceptions et à la colère remontées de sa propre enfance. (La thérapie est interrompue après six mois en raison du départ de la thérapeute).

3. Les problèmes de couple étant alors au premier plan, une thérapie de famille est instituée. Annie et Jacques, (père de la 2e fille, Rose) sont vus pendant 4 mois avec les deux petites filles, au rythme d'une séance par semaine. (Jacques est, de son côté, déjà engagé dans une thérapie individuelle). Une distance plus claire est établie entre Annie et Jacques, puis une séparation progressive mais non sans conflit.

4. Une autre thérapeute prend en charge la mère, et le programme du matin se poursuit pour la mère et ses deux filles. Les difficultés relationnelles sont toujours présentes chez la mère comme chez la fille aînée, malgré des échanges souvent proches et affectueux. La 2e fille Rose est la préférée. Annie se sent très en compétition avec Colette et lui renvoie avec envie l'image de la petite fille malheureuse qu'elle était elle-même et qui ne s'affirmait pas comme le fait Colette.

Colette est une enfant très intelligente, mais souvent insatisfaite d'elle-même et des autres. Elle a de la difficulté à s'intégrer dans le groupe, se sent frustrée et s'isole, mais elle réclame avec véhémence l'attention de sa mère tout en s'opposant à elle (choix des vêtements - nourriture). Elle est jalouse de sa soeur et de l'amour que montre Jacques à la petite Rose. La mère est d'ailleurs aussi jalouse de la petite Rose et elle enrage de sentir Jacques les délaisser toutes les deux, elle et Colette. Annie favorise alors le rapprochement entre Colette et son père biologique, ravivant ainsi les espoirs de l'enfant. Mais le père de Colette a eu lui aussi un autre enfant d'une nouvelle compagne dont il se séparera cependant peu après.

5. Nous associons alors une approche individuelle pour Colette (thérapie de jeu avec l'ergothérapeute). Colette fait preuve de beaucoup d'imagination dans le jeu et révèle ses problèmes d'identification féminine. Il

est question de grossesse, de roi, de reine et de princesse. La reine et la princesse sont toutes deux enceintes mais elles sont mécontentes et le roi aussi. Nous visons à aider la mère et la fille à reconnaître leurs propres sentiments, leurs propres désirs, et à se différencier l'une de l'autre.

Actuellement, Annie s'organise pour se libérer 2 jours/semaine, en confiant ses filles à la garde d'une famille. Elle a un nouvel ami très différent des deux premiers, dit-elle, et elle cherche activement un travail, de préférence à temps partiel.

Nous avons tenté de montrer dans ce cas qu'il est souvent impossible de réaliser des interventions de brève durée. La maturation de l'enfant, jointe à l'évolution de la situation familiale, ne permet pas non plus de s'accommoder de modalités thérapeutiques univoques.

CONCLUSION

Ces exemples auront illustré, nous l'espérons, le caractère très varié de notre travail, à la fois préventif et thérapeutique. Nous cherchons actuellement à évaluer de façon plus précise nos résultats par une étude longitudinale codifiée. Les difficultés sont nombreuses dans ce domaine et nous paraissent dues au fait que des éléments multiples sont en cause et modifient la sévérité du risque couru par l'enfant; il est par ailleurs souvent impossible de délimiter la nature exacte des interventions.

Pour obtenir une amélioration des indications aussi bien que des résultats thérapeutiques, des recherches préalables sont à considérer dans le domaine du diagnostic et du pronostic. L'amélioration du diagnostic devrait s'appuyer sur l'utilisation d'une classification plus efficace des troubles de la petite enfance; le DSMIII R étant un outil très limité dans ce domaine, plusieurs classifications ont été proposées et sont en cours d'expérimentation sur le plan international.

Concernant l'amélioration du pronostic, les efforts devraient porter dans deux directions:

- une meilleure connaissance des facteurs de protection et des éléments qui modifient le risque vécu par l'enfant, en tenant compte de certaines caractéristiques de l'enfant lui-même (tempérament mécanismes d'adaptation utilisés de préférence par l'enfant, développement général, santé physique, etc.).

- une meilleure évaluation, dès le départ, du degré de motivation et de la qualité de la participation de la famille.

Une attention particulière est accordée au problème bien connu de l'absentéisme. Nous cherchons continuellement des moyens d'impliquer personnellement les parents, tout en évitant d'accroître leur angoisse au-delà de limites acceptables. Ainsi, des visites à domicile serviront en quelque sorte de relais au cours de certaines périodes, quand le plan de traitement n'est pas bien respecté, ou encore, des enregistrements vidéo suivis de visionnement et de discussion seront proposés à la famille.

Enfin, nous associons à notre programme intensif centré sur un assez petit nombre de familles (environ 35 cas actuellement) une approche de consultation ouverte à la communauté et aux intervenants (CLSC, garderies, tables de concertation multidisciplinaire, etc.) impliqués à différents niveaux auprès de la population.❖

After a brief introduction dealing with infant psychiatry, a flourishing area of child psychiatry , the authors describe the various aspects specific to their program: client characteristics, evaluation procedures, interventions used. Some clinical examples highlight the interventions used and the therapeutic results obtained.

Michelangelo, 1505, Taddei Madonna

Références

Bromwich R. The interaction approach to early intervention. Infant **Ment Health J** 1990;11:66-79.

Cohn JF, Tronick EZ. Three month old infants' reactions to simulated maternal depression. **Child Dev** 1988;54:185-193.

Cramer B, Robert-Tissot C, Stern DN. Outcome evaluation in brief mother-infant psychotherapy: a preliminary report. **Infant Ment Health J** 1990;11:278-300.

Références générales

Brazelton TB, Cramer B. **The earliest relationship: parents, infants and the drama of early attachments.** Reading: Addison- Wesley, 1990.

Brazelton TB, Cramer B, Kreisler L, Schappi R, Soulé M. **La dynamique du nourrisson.** Paris: ESF, 1982.

Dolto F. **La cause des enfants.** Paris: Robert Laffont, 1985.

Fraiberg SN **Clinical studies in infant mental health: the first year of life.** New York: Basic Books, 1980.

Greenspan SI. **Psychopathology and adaptation in infancy and early childhood.** (Clinical infant reports; no. 1). New York: International Universities Press, 1981.

Lebovici S. **Le nourrisson, la mère et le psychanalyste: les interactions précoces.** Paris: Centurion, 1983.

Lebovici S, Weil-Halpern F. **Psychopathologie du bébé.** Paris: PUF, 1989.

Mahler MS, Pine F, Bergman A. **The psychological birth of the human infant.** New York: Basic Books, 1975.

Minde K, Minde R. **Infant psychiatry: an introductory textbook.** Beverly Hills: Sage Publications, 1986.

Stern DN. **The interpersonal world of the infant: a view from psychoanalysis and developmental psychology.** New York: Basic Books, 1985.

Winnicott DW. **The maturational processes and the facilitating environment.** New York: International Universities Press, 1965.

On trouvera de nombreux articles théoriques et cliniques dans les revues suivantes: **Infant Mental Health Journal, Infant Behavior and Development et Child Development.**

Raphaël, vers 1512,
Etude d'une femme lisant tenant un enfant.

Quatre cents douze femmes enceintes pour la première ou deuxième fois ont accepté d'être suivies par notre équipe de recherche depuis le troisième ou quatrième mois de leur grossesse jusqu'au sixième mois après la naissance de leur bébé. Nous résumons ici les toutes premières impressions que nos trois assistantes de recherche ont recueillies en échangeant brièvement avec ces femmes au sujet de leur vécu de grossesse.

Dianne CASONI
Hélène DAVID
Jean-François SAUCIER
Véronique LUSSIER
Rachel CLERMONT
Diane PERUSSE
François BORGEAT
Odette BERNAZZANI

L'adaptation psychologique à la grossesse:

observations cliniques

Dianne **Casoni,** docteur en psychologie clinique, est psychothérapeute et expert-conseil auprès du Tribunal de la Jeunesse.
Hélène **David**, docteur en psychologie clinique, est professeure agrégée du Département de psychologie de l'Université de Montréal.
Les docteurs Jean-François **Saucier**, Odette **Bernazzani** et François **Borgeat** sont membres du Département de psychiatrie de l'Université de Montréal.
Véronique **Lussier**, Rachel **Clermont**, et Diane **Pérusse**,sont toutes trois psychologues, assistantes de recherche.

Depuis le traité princeps de Marcé en 1858, le premier à porter sur les phénomènes dépressifs associés au post-partum, l'intérêt de la communauté scientifique pour l'adaptation psychologique de la mère à son nouveau-né a donné lieu à de multiples études tant cliniques (Deutsch, 1945; Benedek, 1956; Bibring, 1959; Ballou, 1978) qu'expérimentales (Uddenberg, Englesson, 1978; Cox, 1983; O'Hara, 1986, 1987; Davidson et Robertson, 1985; Platz et Kendell, 1988; Fleming et al, 1988).

Le présent article, en cherchant à décrire phénoménologiquement les principaux sujets d'inquiétude et de préoccupation d'un nombre important de femmes enceintes, se situe, en ce sens, à mi-chemin entre les démarches cliniques basées sur un nombre restreint d'observations et les études quasi-expérimentales et expérimentales où les résultats sont quantifiés.

En effet, grâce à une vaste étude longitudinale[1] auprès d'un échantillon important de 412 femmes enceintes, notre équipe de recherche a pu recueillir un certain nombre d'observations empiriques dont l'intérêt premier est certainement de porter sur un aussi grand nombre de sujets et d'avoir été recueillies au cours d'une période de temps relativement restreinte de trois ans.

Cependant, le texte qui suit se limitera aux premières impressions que les trois psychologues[2], qui agissaient comme assistantes de recherche, ont recueillies en écoutant les propos spontanés que les femmes tenaient soit à l'occasion de la première rencontre en début de grossesse, soit au cours d'une conversation téléphonique faite au huitième mois de la grossesse.

Suite à une brève description de l'échantillon, certains sujets de préoccupation chez les femmes enceintes rencontrées sont explorés au plan purement phénoménologique en fonction de cinq variables: l'âge au moment de la grossesse, la parité, la relation du sujet avec sa propre mère, la relation avec le conjoint et la relation de couple. Il est à noter que la grande majorité des sujets ont abordé dans leurs propos spontanés ces cinq facteurs.

ECHANTILLON

Les 412 femmes qui composent l'échantillon furent recrutées dans la région de Montréal, Laval, les Basses-Laurentides et la Rive-Sud dès le début de leur grossesse au cours des années 1989, 1990, 1991. Informées soit par leur médecin[3], soit par des annonces ou encore par de courts articles parus dans des journaux locaux, les femmes intéressées par notre étude sur l'adaptation de la mère à son nouveau-né n'avaient qu'à téléphoner pour participer à la recherche.

L'âge moyen des sujets au moment de leur grossesse est de 29.6 ans. Des 412 femmes évaluées, huit ont 20 ans ou moins et six ont 40 ans ou plus. La majorité des femmes sont mariées (54.9%) ou vivent en union de fait (31.6%) alors que 7.5% des sujets déclarent être seules et sans conjoint. Enfin, notons que 57% des sujets sont primipares et qu'en moyenne les couples cohabitent depuis cinq ans.

OBSERVATIONS

Partant des propos spontanés, il apparaît que, pour ces femmes, l'expérience de la grossesse est très importante. Bien que tous les sujets désirent manifestement partager avec les assistantes de recherche leur expérience, leurs motivations varient, allant d'un besoin de soulager un sentiment personnel d'inquiétude et d'anxiété au désir d'améliorer le suivi médical et psychologique de futures générations de femmes enceintes. En ce sens, il est souvent possible d'observer un sentiment de solidarité des sujets envers les autres femmes enceintes.

Néanmoins, les observations que nous notons et les préoccupations dont nous ferons état ne peuvent être attribuées à toutes les femmes rencontrées. L'effort de synthèse auquel nous nous sommes soumis ne permet pas de rendre compte de l'individualité de chacune de ces femmes; toutefois, l'ensemble des observations qui se dégage de ces 412 sujets peut être considéré comme faisant partie, à des degrés variables, d'une expérience partagée.

I. L'âge Il ressort d'une façon frappante que l'âge de la femme au moment de sa grossesse semble colorer grandement le type d'inquiétude et de préoccupations qu'elle entretient. Ainsi les femmes plus jeunes, celles dans la jeune vingtaine, apparaissent généralement plus insouciantes devant l'expérience de la grossesse, comme s'il s'agissait pour elles d'une expérience normale qui n'a rien d'extraordinaire. Ces jeunes femmes parlent peu, en effet, des inquiétudes que pourrait susciter la grossesse. Elles semblent même avoir tendance à se comporter psychologiquement comme si la grossesse allait de soi et s'adapter très rapidement, "naturellement" pourrait-on dire, à leur nouvel état. Bien que certaines de ces jeunes femmes semblent avoir recours à une attitude défensive franche de négation et possiblement de déni face aux effets psychologiques potentiels éveillés par leur état, la plupart ne peuvent être ainsi décrites. Plutôt, il semblerait qu'elles ne se sentent pas ou ne veulent pas trop avouer à un tiers se sentir différentes de ce qu'elles connaissent d'elles-mêmes. Eu égard aux bouleversements habituels amenés par l'adolescence et son cortège d'expériences nouvelles, il est possible d'imaginer que pour certaines de ces jeunes adultes, la grossesse n'apparaîtrait, au plan conscient du moins, que sous l'angle d'une nouvelle expérience de vie parmi tant d'autres. Ces jeunes femmes, d'ailleurs, laissent rarement échapper des propos qui permettraient de croire à la présence de sentiments d'ambivalence devant leur grossesse et leur maternité. Cette attitude mentale pourrait possiblement être vue comme une tentative de normalisation de l'expérience de la grossesse.

Alors qu'il est permis d'imaginer que les jeunes femmes semblent chercher à banaliser l'expérience de la grossesse en l'abordant avec une certaine insouciance, il est intéressant d'observer une attitude apparemment semblable chez des femmes de carrière âgées dans la trentaine.

Ces femmes de carrière semblent effectivement peu s'inquiéter de leur grossesse. Un peu comme si cet état, planifié de longue date ou le fruit d'une décision plutôt rationnelle, n'entraînait pas l'éveil conscient d'inquiétude ou d'ambivalence. Elles disent souvent, d'ailleurs, ne pas avoir le temps de s'arrêter pour penser aux transformations subies par leur corps ou s'inquiéter des légers malaises qu'elles peuvent ressentir. Plutôt, elles parlent spontanément de l'organisation matérielle qu'elles ont planifiée autour de la venue du nouveau-né; les aménagements des horaires de travail et de la vie sociale ainsi que l'organisation du gardiennage sont prévus. La verbalisation d'inquiétudes est plutôt rare chez la majorité de ces femmes et l'expérience de la grossesse, au niveau conscient, ne semble pas source de conflit psychique ni d'ambivalence. Bien entendu, il y a tout lieu de croire que la grossesse éveille aussi chez elles des émois semblables à ceux exprimés par l'ensemble de leurs pairs mais ce phénomène ne s'exprime que par sa négation dans des phrases comme: "je n'ai pas le temps de m'inquiéter".

En effet, la plupart des femmes enceintes dont l'âge se situe de la mi-vingtaine à la mi-trentaine semblent prendre davantage conscience du sentiment habituel d'ambivalence qui est ressenti en cours de grossesse. Ces femmes parleront donc plus librement que les précédentes des remises en question multiples qu'éveillent l'adaptation psychologique à leur état. Elles peuvent exprimer, par exemple, leurs inquiétudes devant les transformations subies par leur corps ou face à la réorganisation familiale causée par l'arrivée du nourrisson ou encore elles font état de leurs préoccupations financières nouvelles liées aux frais de gardiennage ou à la décision de travailler moins et de prendre un congé de maternité prolongé. Cependant, d'une manière générale, ces femmes n'apparaissent pas submergées d'anxiété et parlent également des aspects positifs et satisfaisants associés à la grossesse et à la maternité. Cette attitude contraste certainement avec celle manifestée par l'ensemble des sujets qui expriment davantage leur inquiétude ou leur anxiété devant la grossesse et la maternité.

Au pôle extrême de ce continuum se situent les femmes primipares les plus âgées de notre échantillon. Ces femmes de la fin de la trentaine ou du début de la quarantaine expriment, quant à elles, beaucoup d'anxiété devant la grossesse et la maternité. Elles s'inquiètent, comme groupe, davantage que leurs cadettes sur leur capacité parentale et se questionnent anxieusement sur l'impact de cette décision sur leur vie de couple, remettant aussi douloureusement en cause leur choix d'avoir un enfant à cet âge.

II. La parité

Bien entendu, le nombre de grossesses vécues par une femme influence grandement son adaptation psychique à cet état. Dans notre échantillon, il devenait clair que dès la deuxième grossesse, le champ des inquiétudes conscientes diminuait et que les thèmes de préoccupation se modifiaient en se portant davantage sur l'adaptation de l'enfant aîné au futur nouveau-né; les femmes apparaissaient nettement se sentir plus sereines devant leur état, comme si l'expérience subjective de la grossesse n'éveillait plus autant d'anxiété, de déséquilibre ponctuel ou de conflits par rapport aux primipares. Le souci principal exprimé concerne la charge financière accrue que représente la venue d'un autre enfant. De même, nombreux ont été les sujets qui manifestaient de l'inquiétude devant l'accroissement de la responsabilité parentale qui va de pair avec l'augmentation du nombre d'enfants dans la famille.

III. La relation avec leur propre mère

D'une façon inattendue, nous avons observé que les femmes primipares de notre échantillon n'ont pas tendance à s'identifier à leur propre mère au cours de la grossesse. En grand nombre, elles soulignent, au contraire, comment leur expérience de grossesse est différente de celle connue par leur mère. Peu d'entre elles mentionnent leur mère comme figure de soutien ou source de référence alors même qu'un grand nombre de ces femmes se plaignent de ne pas se sentir préparées à assumer la maternité et, surtout, de se sentir isolées au travers de cette nouvelle expérience. En outre, la grossesse apparaît pour la majorité de ces femmes comme une période propice au rappel de leur propre expérience d'enfant. Plusieurs se sentent même contraintes de repenser leur compréhension intime de leur propre relation filiale à leur mère.

Cette observation contraste beaucoup avec ce qui a été noté récemment par Argant-Le Clair et Clerk (1990) chez des femmes primipares québécoises d'origine haïtienne chez qui la grossesse stimulait un mouvement relationnel massif vers la propre mère. Comme le mentionnent ces auteurs, les femmes de leur échantillon semblaient, dès le début de la grossesse, se remettre ni plus ni moins entre les mains de leur propre mère dans un mouvement de dépendance important qui pouvait aller jusqu'à lui remettre concrètement le nouveau-né. L'attitude décrite par Argant-Le Clair et Clerk (1990) pourrait possiblement s'apparenter à une forme de régression, certes culturellement valorisée, de certaines femmes enceintes vers un équilibre plus infantile de leur personnalité comme stratégie défensive inconsciente pour conjurer l'anxiété éveillée en elles par cette nouvelle expérience.

De façon évidente, plusieurs femmes rencontrées par notre équipe de recherche n'adoptent non seulement pas pareille attitude de dépendance infantile envers leur propre mère mais, de plus, semblaient même chercher à minimiser le lien identificatoire avec celle-ci. En effet, nombreuses ont été les femmes primipares qui spécifiaient ne pas vouloir que leur futur enfant soit gardé par leur mère ou encore qui, spontanément, expliquaient pourquoi et comment leur expérience de grossesse ne pouvait se comparer à celle de leur mère.

Compte tenu de l'importance du questionnement anxieux des femmes concernant leur sentiment de n'être ni préparées ni prêtes à assumer la maternité, l'attitude d'évitement de toute référence à l'expérience de grossesse et de maternité de leur propre mère apparaît de nature défensive.

Bien entendu , des facteurs sociaux et culturels peuvent certainement contribuer à cette attitude observée chez les primipares. Tant la tendance sociale nord-américaine du regroupement des familles en cellules nucléaires que la valorisation culturelle actuelle de l'autonomie personnelle peuvent apparaître comme des facteurs contribuant à cette tendance. Au niveau plus personnel, cependant, il est permis de poser l'hypothèse, suivant en cela les travaux de Ballou (1978), que cette attitude soit également motivée par une stratégie défensive pour conjurer l'ambivalence éveillée par la grossesse concernant spécifiquement le rapport de la femme enceinte, ancienne enfant, à sa propre mère. Ainsi, alors que les femmes haïtiennes décrites par Argant-Le Clair et Clerk (1990) semblent reprendre leur position d'enfant pendant la grossesse et revivre une dépendance filiale à l'égard de leur mère, il semblerait que de nombreuses femmes de notre échantillon cherchent à s'éloigner d'un rappel de filiation. Comme si elles se méfiaient de l'impact que pourrait avoir sur elles le rapprochement avec leur mère.

Il est d'ailleurs à noter que les sujets, de façon générale, préfèrent se référer à des livres, consultés en grand nombre, et à l'expérience de leurs soeurs et belles-soeurs tout en déplorant qu'il n'existe pas de cours pour apprendre à devenir parent. Elles semblent se sentir, en effet, plus proches de leurs pairs que de leurs parent. Selon Véronique Lussier, assistante de recherche, cette tendance, souvent marquée, qui consiste à refuser d'attribuer une expertise à la mère propre pourrait être vue comme un facteur influençant la popularité actuelle des sages-femmes auprès d'un certain nombre de femmes. Il est permis d'imaginer que ces dernières, de par leurs sexe, fonction, attitude, présence et expertise, puissent apparaître inconsciemment pour de nombreuses femmes comme un modèle identificatoire maternel substitut et une figure parentale idéalisée exempts de l'ambivalence habituellement ressentie envers la mère réelle, permettant ainsi d'assurer à celle-ci une impression de filiation en cours de grossesse.

Pour la majorité des sujets primipares, la grossesse provoque donc une remise en question de la relation à leur propre mère. Pour certaines, ce cheminement identificatoire est très douloureux alors que d'autres en sont nettement moins affectées. Il semble, de plus, que l'acceptation plus sereine du lien identificatoire avec la mère et du processus d'élaboration de l'ambivalence envers celle-ci se résolvent davantage en période post-partum qu'en cours de grossesse.

IV. Le conjoint

À l'inverse de la tendance observée dans la relation mère-fille chez bon nombre des sujets, les conjoints apparaissent comme étant les personnes les plus importantes pour la grande majorité des femmes rencontrées. Principal pôle de soutien affectif, le conjoint apparaît pour elles comme le confident privilégié et celui dont elles peuvent dépendre. La plupart des femmes estiment que leurs conjoints s'impliquent profondément dans l'expérience de la grossesse. Nombreux, d'ailleurs, ont été les hommes qui étaient présents au cours des entrevues de recherche et plusieurs déploraient qu'aucune étude ne les vise précisément.

Dans une proportion importante, les sujets de notre échantillon se tournaient donc vers leur conjoint pour partager l'expérience de la grossesse. Un certain nombre de femmes, cependant, notait avec amertume et colère les absences plus fréquentes de leur partenaire ou encore parlaient de leur impression subjective d'un désengagement émotif de la part de celui-ci au fur et à mesure que progressait leur grossesse. Il est intéressant d'ajouter que, pour la plupart de ces couples, la grossesse avait été désirée par les conjoints. Face à cette absence accrue du partenaire, qu'elle soit factuelle et concrète ou ressentie émotionnellement par la femme, les réactions émotives de colère et de désemparement étaient intenses chez la plupart de celles-ci. Ainsi, la grossesse déclenchait une période de crise au sein du couple, donnant lieu chez ces femmes à de fortes remises en question du couple et à la crainte que les futurs parents ne puissent s'adapter à la nouvelle réalité conjugale que la naissance du bébé signerait. De telles difficultés relationnelles avec le partenaire ont provoqué, d'ailleurs, chez un petit nombre de femmes, la rupture de la relation de couple et le départ du conjoint.

Puisque très souvent la grossesse avait été désirée par ces hommes, certaines hypothèses peuvent être émises pour tenter de comprendre ce paradoxe. Tout d'abord, l'engagement émotif profond de ces conjoints peut être remis en cause; la perspective de partager la responsabilité d'un enfant peut ébranler la confiance de certains de ces hommes en la capacité des partenaires à s'épanouir l'un et l'autre ainsi qu'en tant que couple au sein de la nouvelle famille.

Il est cependant possible de penser qu'un processus interrelationnel plus complexe soit en jeu. On peut imaginer un scénario selon lequel une exacerbation de l'anxiété ou une plus grande vulnérabilité affective chez ces femmes au cours de leur grossesse trouvent écho chez leurs partenaires qui se sentent eux aussi plus vulnérables et peut-être incapables d'offrir à leurs conjointes le soutien dont elles manifesteraient le besoin d'une façon ou d'une autre au cours de cette période. Les données de recherche permettront possiblement de comprendre de façon plus satisfaisante certains de ces phénomènes.

V. Le couple

L'inquiétude par rapport à l'effet de la maternité sur l'équilibre du couple a été exprimée par un grand nombre de femmes primipares, tant parmi celles dont le conjoint était davantage absent depuis la grossesse que parmi celles dont le conjoint s'impliquait pleinement au cours de cette période. Cette inquiétude sur la capacité des partenaires du couple à trouver un nouvel équilibre après la naissance de l'enfant semblait particulièrement présente chez les femmes dans la mi-trentaine qui avaient longtemps retardé leur décision d'avoir un enfant au profit de l'expérience de vie de couple ou du travail. Elles craignent beaucoup que l'arrivée de l'enfant ne perturbe l'équilibre du couple et que la satisfaction jusqu'alors à être conjoints en soit très amoindrie.

Cette inquiétude semble toutefois reliée non seulement à l'équilibre du couple mais possiblement à un déplacement d'une ambivalence inconsciente envers l'enfant en gestation vers le conjoint qui, selon toute vraisemblance, est vu comme étant psychologiquement assez fort et donc apte à faire face aux plaintes, récriminations et doléances de sa conjointe au cours de cette période de sa vie.

À cet effet, bien que plusieurs femmes de la trentaine avancée ou du début de la quarantaine expriment ouvertement leur crainte d'avoir commis une erreur en choisissant la maternité, même lorsqu'il s'agissait de grossesses planifiées, peu de femmes disent ressentir une quelconque ambivalence par rapport à l'enfant qu'elles portent. Il est permis d'imaginer néanmoins qu'un tel sentiment inconscient puisse être présent chez plusieurs qui, par exemple, expriment le souhait d'avoir un bébé "facile" ou qui se plaignent avec insistance de tous les maux, malaises et transformations que la grossesse leur impose.

METHODOLOGIE EXPERIMENTALE

Ces premières impressions seront bientôt confrontées à l'ensemble des données quantitatives recueillies au cours de cette recherche longitudinale. La phase expérimentale de notre recherche est constituée au cours d'une première rencontre en laboratoire par l'administration de plusieurs questionnaires et une épreuve perceptuelle informatisée (David, Borgeat, Saucier, 1990). La semaine suivant cette première rencontre, les sujets retournent par courrier leurs réponses à une autre série de questionnaires auto-administrés.

Par la suite, au premier mois après la naissance, les 412 femmes seront rejointes par les assistantes et un rendez-vous à domicile est fixé pour le mois suivant. Au cours de cette rencontre, les assistantes de recherche procèdent à une évaluation clinique utilisant l'échelle d'Hamilton pour la dépression et administrent quelques questionnaires visant à mesurer plusieurs autres variables susceptibles d'influencer l'adaptation de la mère à son nouveau-né, tel son réseau de soutien et les facteurs de stress qu'elle rencontre.

Enfin, au sixième mois post-partum, tous les sujets sont de nouveau contactés par les assistantes de recherche qui s'informent de l'état physique et émotif de celles-ci et procèdent à l'administration d'un dernier questionnaire. L'ensemble de ces données donneront, une fois analysées, un aperçu complet de la transition de la grossesse à la première adaptation à l'enfant.

CONCLUSION

Tel que l'ont déjà démontré de nombreux auteurs (Benedek, 1956; Bibring, 1959; Bibring et Kahana, 1968; Deutsch, 1945), il est apparu clairement que pour la vaste majorité des femmes rencontrées, la grossesse donne lieu à un sentiment d'inquiétude qui souvent leur apparaît étrange et porteuse de déséquilibre. Une telle impression de vulnérabilité varie certes beaucoup en intensité et en durée d'un individu à l'autre, mais la grossesse semble chez chacune porteuse d'une certaine charge d'anxiété, voire parfois, d'angoisse. De nombreuses femmes profitent toutefois de cette expérience pour faire le point sur leur relation avec leur mère, d'autres pour réévaluer leurs objectifs de vie. Chez une minorité, cependant, l'angoisse est très forte et donne lieu à un déséquilibre souffrant. En contrepartie, il est important de souligner que malgré les inquiétudes ressenties, la grossesse demeure pour la plupart des sujets de notre échantillon une expérience positive qui vaut la peine d'être vécue.❖

Four hundred twelve women, pregnant for the first or second time, accepted to be followed by our research team from their third-fourth months of pregnancy until six months post-natally . The article summarizes the initial impressions that our three research assistants made based on their brief exchanges with these women on the subject of their pregnancies.

Références

Argant-Le Clair MC, Clerk G. Vécu culturel de primipares nord-américaines et antillaises. **P.R.I.S.M.E.** 1990;1:69-84.

Ballou JW. **The psychology of pregnancy: reconciliation and resolution.** Lexington, Mass: Lexington Books, 1978.

Benedek T. Towards the biology of the depressive consultation. **J Am Psychoanal Assoc** 1956;4:389-427.

Bibring G. Some considerations of the psychological processes in pregnancy. **Psychoanal Study Child** 1959;14:113-121.

Bibring G, Kahana R. **Lectures in medical psychology.** New York: International Universities Press, 1968.

Cox JL. Clinical and research aspects of post-natal depression. **J Psychosom Obstet Gynecol** 1983;2:46-53.

Davidson J, Robertson E. A follow-up study of postpartum illness: 1946-1978. **Acta Psychiatr Scand** 1985;76:164-171.

Deutsch H. **Psychology of woman.** New York: Grune-Stratton, 1945.

Fleming AS, Ruble DN, Flett GL et al. Postpartum adjutment in first-time mothers: relations between mood, maternal attitudes and mother-infant interactions. **Dev Psychol** 1988;24:71-81.

Marcé LV. **Traité de la folie des femmes enceintes, des nouvelles accouchées et des nourrices.** Paris: Ballière, 1858.

O'Hara MW. Social support, life events and depression during pregnancy and the puerperium. **Arch Gen Psychiatry** 1986;43:339-346.

O'Hara MW. Postpartum "blues", depression and psychosis: a review. **J Psychosom Obstet Gynecol** 1987;7:205-227.

Uddenberg N, Englesson I. Prognosis of postpartum mental disturbance. **Acta Psychiatr Scand** 1978;58:201-212.

Notes

1. Cette recherche a été subventionnée par le Programme national de recherche et de développement en matière de santé (PNRDS) et de Santé et bien-être social Canada; subvention no 6605-279-44.

2. L'équipe de recherche remercie Mesdames Rachel Clermont, M.Ps.; Véronique Lussier, M.Ps. et Diane Pérusse, M.Ps. pour la qualité de leurs observations cliniques.

3. L'équipe de recherche tient particulièrement à remercier les Docteurs Louise Duperron et Jacques Vincent pour leurs efforts soutenus de recrutement des sujets.

L'objectif de la présente étude est de tracer un portrait des moments heureux que les mères disent vivre avec ou à propos de leur enfant et de vérifier si le répertoire individuel de ces moments est affecté par certaines variables socio-démographiques. Cette étude s'inscrit dans un projet d'intervention plus vaste dont l'un des objectifs visait à valoriser le rôle parental. Cent huit mères d'enfants de 0 à 5 ans et de familles biparentales participent à une enquête semi-structurée dont le contenu est analysé au moyen d'une grille élaborée à partir du matériel recueilli. Les résultats indiquent que les mères disposent de modes (manières) différents dans la façon de tirer des

Les moments heureux dans la vie des mères d'enfants de 0 à 5 ans

Camil BOUCHARD
Pauline CARIGNAN

Camil **Bouchard** est professeur au Département de psychologie et directeur du laboratoire de recherche en écologie humaine et sociale à l'Université du Québec à Montréal.

Pauline **Carignan** est psychologue et cette recherche a été réalisée dans le cadre de sa maîtrise en psychologie sous la direction de Camil Bouchard.

Amorcer une recherche sur le bonheur ou les joies que retirent les parents de la présence d'enfants dans leur vie amène les chercheurs à un premier constat: il y a peu, très peu d'études sur le sujet. De fait, Chilman (1980) fait remarquer que non seulement la satisfaction parentale occupe une place marginale dans l'agenda de la psychologie familiale, mais qu'en plus, la littérature populaire et scientifique met généralement l'accent sur les charges et les tensions reliées au rôle de parent. Par exemple, on présente fréquemment l'arrivée du premier enfant sous le seul angle d'une période de crise plus ou moins importante dans la vie de couple (Le Master, 1957; Dyer,1963: voir Mullis et Mullis, 1982).

Pourtant, certaines études récentes montrent que le concept de "satisfaction" ou de "bonheur" parental a des fondements empiriques. Une enquête auprès d'un échantillon de parents, de race blanche et de classe moyenne, a notamment révélé qu'une majorité d'entre eux témoigne d'un haut degré de satisfaction dans leur vie parentale et familiale (Chilman, 1979). Une autre enquête sur les attitudes parentales fait apparaître que 72% des gratifications de leur rôle: interactions, observations, constatations et représentations. On constate également que certains contextes et certaines activités sont plus satisfaisantes. Le nombre d'enfants dans la famille, le rang de l'enfant, son âge et le niveau de scolarité de la mère sont parmi les déterminants les plus marquants de ces modes, contextes et activités liés à la satisfaction maternelle. Les résultats inspirent un certain nombre de réflexions concernant l'intervention, l'amélioration de la relation entre mères et enfants et la promotion du rôle maternel.

modes contextes activités

répondants ont des attitudes positives envers l'éducation des enfants et le fait d'être parent (Mullis et Mullis, 1982). Dans une recherche sur les satisfactions psychologiques des parents, ceux-ci, davantage que les non-parents, mentionnent les enfants comme source potentielle de gratifications et d'amour (Hoffman et Manis, 1979) . Enfin, dans une étude conduite dans six pays, Fawcett (1974: voir Beckman, 1978) laisse entendre que les parents de toutes les cultures, comparés aux personnes sans enfant, apprécient les enfants d'abord parce qu'ils sont source de bonheur.

Les articles recensés traitant de la notion de "bonheur parental" présentent un degré assez marqué d'imprécision et de confusion au sujet des notions de "satisfaction" et de "bonheur". Campbell, Converse et Rodgers (1976), dans leur recherche sur la qualité de vie, proposent une distinction entre " bonheur" et "satisfaction" en général. Le "bonheur" relèverait d'une expérience reliée d'abord aux sentiments et à l'affectivité, ce qui lui confère un caractère essentiellement émotif. De son côté, la "satisfaction" serait vécue par l'individu comme la différence entre ses aspirations et leur niveau de réalisation (Winkelstein, 1981; Mullis et Mullis, 1982). "La satisfaction implique donc un jugement ou une expérience cognitive" (Campbell, Converse et Rodgers, 1976). La distinction entre les deux concepts est cependant plus facile à proposer qu'à mesurer, et la présence d'une facette émotive dans l'évaluation du degré de satisfaction ne simplifie pas les choses.

De fait, il semble que les publications récentes sur le sujet ont porté davantage sur les attitudes traduisant la satisfaction parentale (Hobbs, 1968; Hoffman et Manis, 1978, 1979; Beckman, 1978; Beckman et Houser,

1979; Chilman, 1980) et sur la fonction qu'exerce cette satisfaction dans la vie parentale (Fawcett, 1974: voir Beckman, 1978; Townes, Beach, Campbell, Martin, 1977; Bekcman, 1978; Hoffman et Manis, 1978). Cependant, un examen attentif du libellé des questions abordées dans ces études montre qu'elles ne portent pas univoquement sur la satisfaction et qu'elles ont parfois trait au bonheur ressenti par les parents; nous en retiendrons donc les grandes conclusions.

Il se dégage de ces études un ensemble de dimensions qui contribuent aux sentiments de satisfaction et de bonheur parental: plaisir de voir grandir et évoluer les enfants, intérêts communs renouvelés entre conjoints, joies associées à la capacité d'aimer et d'être aimé, plénitude ressentie dans l'accomplissement biologique de la maternité et de la parentalité, enracinement plus grand vis-à-vis de la famille d'origine et de sa propre enfance, source de distractions, d'enrichissement et de rapprochement social (Beckman, 1978; Chilman, 1980; Hoffman et Manis, 1979; Smith-Russell, 1974). Ces dimensions sont cependant de nature assez globale, ne portent que très peu ou pas du tout sur les éléments de la vie quotidienne qui alimentent cette satisfaction; elles risquent d'être le fruit d'une répétition de clichés véhiculés par les média . Un répertoire des moments heureux vécus avec l'enfant ou à son propos aurait l'avantage de référer à des situations concrètes, distinctes (i.e. composées d'éléments séparés) et vécues comme telles par les parents. C'est à cet objectif que la présente étude veut contribuer.

De plus, le degré de satisfaction engendré par la présence des enfants est loin d'être uniforme; un certain nombre de facteurs peuvent être invoqués pour expliquer ces variations. Ainsi, selon Hoffman et Manis (1978), la première étape de la vie de parents serait la plus intense: les parents d'enfants d'âge pré-scolaire semblent ressentir plus de joies (et de frustrations). Pasley et Gecas (1984) arrivent à la même conclusion.

L'influence du nombre d'enfants sur la satisfaction parentale semble suivre une trajectoire curvilinéaire. Alors que Marini (1980) observe que la satisfaction décroît à mesure qu'augmente le nombre d'enfants (les familles de son échantillon comptent de 1 à 4 enfants), Nye, Carlson et Garrett (1970) rapportent que les mères d'enfant unique sont plus satisfaites que les autres...jusqu'à concurrence de 5 enfants, mais qui à partir de ce nombre la satisfaction devient plus évidente à nouveau.

L'âge de la mère a très peu été investigué. Cependant, Mancini (1978) rapporte une relation inverse entre l'âge et la satisfaction que tire la mère de son rôle familial. L'âge de la mère à la naissance de son enfant n'a fait l'objet d'aucune étude, bien que l'on puisse pourtant penser que le manque d'expérience et de maturité puisse avoir un impact sur le niveau de difficulté ressenti face aux demandes de l'enfant.

Hoffman et Manis (1978) montrent qu'un niveau de scolarité supérieur est associé à une attitude moins positive envers le rôle maternel. De même, Veroff, Douvan et Kulka (1981) rapportent que même si leurs sujets scolarisés accordent beaucoup de valeur à leur expérience de parent et la trouve enrichissante, ils ne s'y plaisent pas autant que les sujets moins scolarisés. Les parents plus scolarisés seraient plus conscients des aspects négatifs du rôle de parents, ce qui expliquerait leur plus grande attitude critique.

Le statut occupationnel et le type d'emploi ont également fait l'objet d'analyses. Les enquêtes de Beckman (1978) et de Beckman et Houser (1979) sur les coûts et bénéfices du double rôle mère-travailleuse ont grandement contribué à éclairer le sujet. Les résultats de leur recherche montrent que les travailleuses expriment plus de satisfactions reliées à leur emploi qu'à leur rôle de parent. Selon Beckman (1978), une importante part du prix à payer pour un emploi à temps plein chez la femme est une limitation du plaisir associé aux activités parentales.

L'objectif de la présente recherche est de tracer un portrait des moments heureux que les mères disent vivre avec ou à propos de leur enfant et de vérifier si les répertoires individuels de ces moments sont affectés par diverses variables socio-démographiques. Cette étude, comme celle de Bouchard et Gareau (1990) portant sur les contributions parentales au développement de leur enfant, s'inscrit dans un projet d'intervention plus vaste dont l'un des objectifs visait à valoriser le rôle parental. L'introduction de la question du bonheur et des joies parentales lors des visites des interviewers aux familles avait donc non seulement pour but de recueillir du matériel propre à enrichir notre connaissance du vécu parental, mais aussi d'orienter les réflexions des parents sur ce qu'ils faisaient et vivaient de positif à travers leur implication parentale.

METHODOLOGIE

Sujets Les familles participantes sont recrutées à partir de la liste des Avis de naissance et par ratissage systématique de deux voisinages d'un Centre local de services communautaires (CLSC). Seules les familles comptant au moins un enfant entre 0 et 5 ans sont visées, étant donné la nature du projet d'intervention (promotion du rôle parental et prévention de la négligence envers les enfants) mis sur pied par les intervenants du CLSC.L'échantillon considéré ici se compose de 108 mères (Tableau 1) retenues d'un premier échantillon constitué de 174 familles, dont 8% de pères. Les dossiers de ces derniers, étant donné leur petit nombre, n'ont pas été considérés dans l'analyse des données. De même, 52 dossiers ayant été utilisés lors de la mise au point de l'entrevue n'ont pas été retenus dans l'analyse.

Toutes les répondantes vivent avec leur conjoint. La taille des familles varie de la façon suivante: 42 familles ont un seul enfant, 47 en ont deux , 18 en comptent trois et finalement une famille en a quatre. Près de 7% des familles déclarent un revenu annuel supérieur à 60,000$ (canadiens) tandis que 5 % se situent sous la barre des 20,000.00$. Le revenu moyen

TABLEAU 1
Données socio-démographiques

	Mères	**Filles**	**Garçons**
Statut marital:	Mariée	—	—
Nombre:	108	54	54
Age moyen:	28.9 ans	34.9 mois	25.7 mois[1]
Scolarisation moyenne:	12.6 ans	—	—
Occupation:		—	—
foyer:	65		
trav. partiel:	19		
trav. t. plein:	24		
Revenu familial moyen:	35,000$	—	—

(1) Différence significative à $p<.05$

est de 35,000$ avec plus de 53% des familles déclarant un revenu de 30,000$ à 50,000$.

Procédure Les entrevues se déroulent comme suit. L'intervenant-e se présente au domicile des répondantes, questionnaire en main et le remplit sur place. La famille participante est toujours visitée par le même interviewer.Dans le cas où la famille compte plusieurs enfants de moins de 5 ans, on demande à la mère de répondre aux questions en fonction d'un enfant de son choix. Les interviewers ont comme consigne de recueillir le plus fidèlement possible le "verbatim" des réponses aux questions ouvertes.

Instrument de cueillette Le questionnaire d'enquête vise à recueillir des données sur la façon dont les parents vivent leurs relations avec leur jeune enfant et avec le milieu dans lequel s'exerce leur rôle de parent. Il comprend cinq sections: 1) Quelles sont les satisfactions et 2) les difficultés rencontrées dans l'exercice des fonctions parentales? 3) Quelles sont les conduites pro-développementales qu'ils adoptent à l'égard de leurs enfants? 4) Quels sont leurs liens avec le réseau familial et/ou avec les voisins? 5) Quel est le degré de satisfaction de ces familles par rapport au quartier qu'elles habitent, et quels sont leurs intérêts vis-à-vis des activités communautaires? Une série de questions socio-démographiques précède ces sections. Les données dont le présent article fait état ont trait à ces informations socio-démographiques et à la première section portant sur les satisfactions tirées du rôle parental. Ordinairement, cette thématique sur les petits et grands bonheurs de la vie maternelle est abordée lors de la première d'une série de trois ou quatre visites. Le libellé de la question est:

Quelles sont les activités plaisantes ou les moments heureux que vous partagez avec (nom de l'enfant) ou que vous vivez en rapport avec (nom de l'enfant)?

Des exemples d'interactions avec l'enfant, d'accompagnement ou d'observation de l'enfant, de réflexion ou de discussion portant sur l'enfant sont donnés à la répondante de façon à lui soumettre l'univers possible des modes de satisfaction.

ORGANISATION DES INFORMATIONS

Catégorisation Une liste de catégories d'analyse du contenu des entrevues est dressée à partir des réponses au pré-test et à l'enquête. Le système de catégorisation classe l'information selon six grandes dimensions: le contexte auquel la mère fait référence, le mode d'expression du comportement maternel, le domaine d'activité de la mère, le domaine d'activité de l'enfant, le domaine d'activité d'un tiers, et finalement les caractéristiques de l'enfant.

Le contexte se définit comme un ensemble de circonstances dans lesquelles s'insère un fait (exemple: "Quand je lui donne son bain, j'en profite pour jouer"). Les modes d'expression du comportement maternel se divisent en cinq sous-catégories: interaction, observation/accompagnement, représentation verbale ou mentale, constatation, et "autre". L'interaction fait référence aux situations où la mère partage avec l'enfant une certaine activité ou lorsque la mère déclare aimer simplement "être avec l'enfant" (exemples: "J'aime aller me promener avec lui" ou "J'aime être avec lui").

Les comportements d'observation réfèrent aux situations où la mère regarde, écoute l'enfant, sans participer directement à l'activité de l'enfant ou lorsqu'elle rapporte un fait qu'elle ne pourrait décrire sans préalablement l'avoir observé (exemples: "J'aime la regarder jouer avec son frère." ou "J'aime voir ses progrès lorsque je l'observe"). Les comportements d'accompagnement font référence aux situations où la mère lui apporte soutien, aide, défense, protection (exemple: "J'aime aller l'encourager dans ses compétitions de natation "). Les représentations peuvent être de deux ordres: mental ou verbal. Les premières font référence aux situations où la mère rapporte aimer penser à son enfant (exemple: "Je pense souvent à Martine à l'ouvrage et ça me réconforte"). Les représentations verbales font référence aux situations où la mère rapporte aimer parler de son enfant à un tiers (exemple: "J'aime raconter ce qu'elle fait à mon mari"). Enfin, les constatations font référence aux situations où la mère dit apprécier se rendre compte que son enfant présente certaines façons d'être, ou lorsqu'elle se réjouit du fait qu'il change, évolue, acquiert des habiletés nouvelles (exemples: "Je trouve ça plaisant de la voir évoluer"; J'aime ça qu'elle soit affectueuse").

Les activités de la mère, de l'enfant ou d'un tiers impliqué dans la séquence sont classifiées selon 10 sous-catégories: soins, jeux, activités physiques, sportives et de plein air, sorties, loisirs, travaux de la maison, communication, affectivité, évolution développementale, autre.

Les caractéristiques de l'enfant se divisent en deux sous-catégories: l'état est utilisé lorsque la mère se dit heureuse d'un trait de caractère, d'une capacité, compétence ou habileté de l'enfant; par ailleurs, on réfère au changement lorsque la mère se dit heureuse d'un ou de plusieurs aspects de l'évolution de son enfant.

Codage Le contenu de chaque entrevue est fragmenté en unités d'analyse (groupe de mots, phrase ou groupe de phrases exprimant une unité d'action ou une idée). Chacune de ces unités est codée en fonction des six grandes dimensions précédemment décrites. Seule la dimension "mode d'expression du comportement maternel" est systématiquement utilisé pour chacune des unités. Les autres dimensions sont utilisées au besoin. Par exemple, l'unité "J'aime la regarder jouer avec sa soeur" est codée sur trois axes: 1) le mode de comportement :"observation" (la regarder), 2) le domaine d'activités de l'enfant : "jeu" (jouer), 3) le domaine d'activité d'un tiers : "jeu". Le nombre d'unités à coder par répondante varie de 1 à 23. Vingt pour cent (20%) de ce corpus a fait l'objet d'un accord inter-juge avec deux autres juges. Le calcul de l'accord inter-juges s'est fait selon la formule:

nombre d'accords x 100 = % accord
nombre d'accords + nombres de désaccords

Le taux d'accord des jugements portant sur les catégories est de 87,9%.

RESULTATS

Stratégie d'analyse Chaque catégorie reçoit la cote zéro (0) ou un (1), selon que la mère a fait ou non usage de cette catégorie. L'utilisation de ce code binaire permet de contourner le problème de la variation du débit verbal d'une mère à l'autre. Cette variation affecte les scores bruts en ce que certaines mères exprimant leurs idées ou impressions plus aisément accumulent les exemples dans leur discours ce qui a pour effet d'enfler indûment leurs scores comparativement à ceux de mères plus discrètes. Un score total (maximum: 108) est ainsi obtenu, indiquant le nombre de mères répertoriant chaque catégorie. Des distributions de fréquences pour les catégories des variables "contexte", "mode", "activité de la mère", "activité de l'enfant", "activité d'un tiers" et "caractéristique" sont donc obtenues suivant ce mode binaire.

L'utilisation de scores binaires réduit considérablement le nombre de stratégies d'analyse statistiques permettant l'identification de liens (corrélationnels) entre les variables. L'analyse des correspondances a été retenue ici. Cette stratégie permet d'identifer les patrons de liens entre les données lorsqu'on est en présence, comme ici, d'un grand nombre de variables, que le support théorique est faible pour orienter le chercheur quant aux influences mutuelles entre ces variables et que les scores sont binaires. Il s'agit d'une méthode géométrique de calcul offrant une représentation

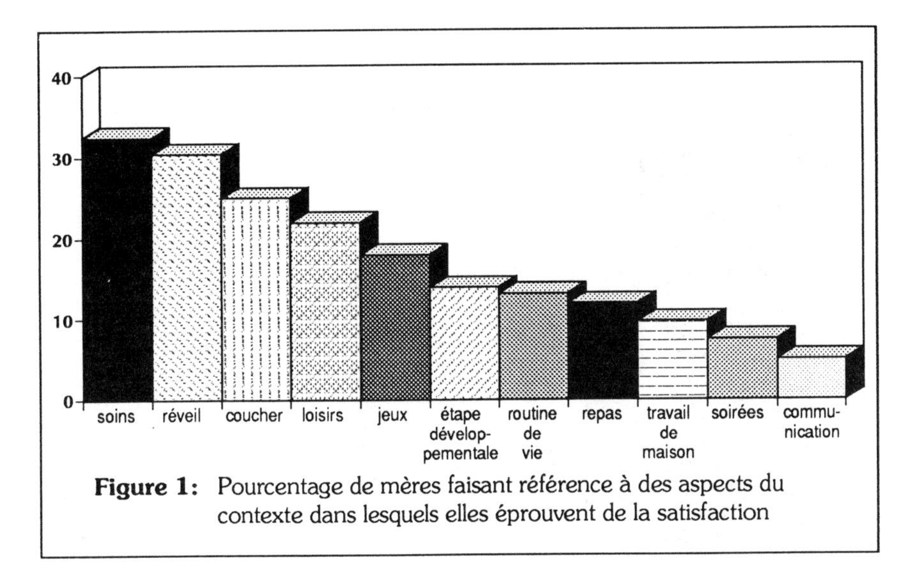

Figure 1: Pourcentage de mères faisant référence à des aspects du contexte dans lesquels elles éprouvent de la satisfaction

multi-dimmensionnelle du cadre dans lequel le problème est étudié (Greenacre, 1984). En effet, l'analyse des correspondances permet de créer un nuage multidimensionnel de points en travers duquel passera des droites de régressions, créant ainsi des axes indépendants de facteurs premiers. Les variables se trouvant à chacune des extrémités des axes ont des valeurs qui s'opposent (positive versus négative). Les variables regroupées soit sur la partie positive ou négative de l'axe sont considérées comme présentant des caractéristiques communes.

Analyse descriptive des données

Les mères réfèrent peu aux contextes dans lesquels elles tirent de la satisfaction avec ou à propos de leur enfant. La référence à cette dimension est dans l'ensemble assez faible. Les quatre catégories réunissant 20 mères et plus sont par ordre d'importance: soins, réveil, coucher et loisirs (Figure 1).

La figure 2 rapporte la distribution des scores aux différents modes de satisfaction (par observation/accompagnement, interaction, représentation verbale ou mentale) auxquels les mères ont référé. Le mode le plus mentionné est "l'interaction" (action conjointe de la mère et l'enfant). Vient ensuite le mode "constatation" (attribution par la mère de certaines qualités à son enfant); le mode "observation" (la mère regarde agir son enfant ou l'accompagne) suit de très près en importance. Les mères réfèrent très rarement au mode "représentation" (penser à son enfant ou encore en parler à quelqu'un d'autre).

C'est dans des activités de jeu et d'exercices physiques que les mères disent tirer le plus de joies de la compagnie de leur enfant. Viennent ensuite les sorties , les soins prodigués à l'enfant , les loisirs , les épisodes d'affectivité non-verbale et de collaboration au travail de maison. A noter que

Interaction

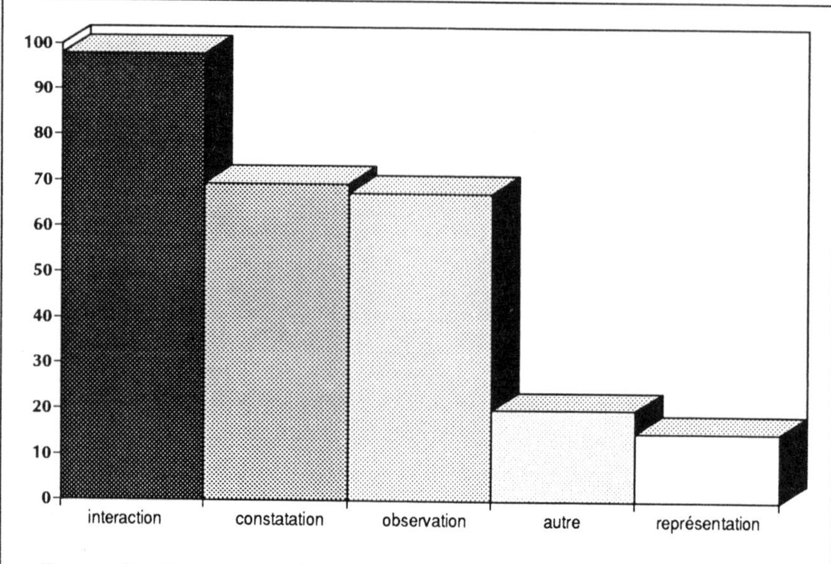

Figure 2: Pourcentage de mères référant à chacun des modes de gratification lorsqu'interrogées à propos de leurs moments de bonheur

les mères ne réfèrent pas du tout aux instances où elles expriment verbalement de l'amour ou de l'affection à leur enfant comme sources de bonheur.

Lorsque les mères font référence non pas à leurs propres activités mais à celles de l'enfant en réfléchissant aux moments de bonheur maternel, c'est encore aux jeux et aux activités physiques qu'elles nous renvoient le plus souvent. Les sorties (courses au magasin, repas au restaurant...) occupent le troisième rang. Les échanges verbaux, les manifestations par l'enfant de son développement à travers certaines activités, les manifestations non-verbales d'affectivité par l'enfant et sa participation au travail de maison sont également rapportés par un assez grand nombre de mères. Les épisodes de démonstrations verbales d'affectivité demeurent ici encore très faiblement représentés. Quant à la contribution d'activités qu'un tiers partagerait avec l'enfant ou avec la mère à propos de son enfant, elles n'apparaissent que très sporadiquement dans les références des mères (seulement 23 occurrences, dont 16 à propos des jeux partagés entre enfant et tiers).

Les épisodes impliquant plus spécifiquement le père de l'enfant apparaissent un peu plus fréquemment. Selon ce qu'elles nous en rapportent, ce sont surtout les activités impliquant de la communication ou des jeux entre père et enfant qui réjouissent les mères.

TABLEAU 2

Analyse factorielle des correspondances,
Axe I: modes de satisfaction maternelle

Nom de la variable		Contribution	Coordonnée
Mode: CONSTATATION		11.4	67.8
Caractéristique:	état	8.3	52.0
Caractéristique:	changement	6.6	104.6
Mode:	observation	6.0	44.7
Contexte: étapes développementales		4.4	103.6
Activité de l'enfant:	évolution développementale	2.6	58.7
	loisirs	2.5	-63.0
	travail de maison	2.9	-61.3
Activité de la mère:	travail de maison	3.0	-65.8
	jeux	3.7	-46.3
Activité de l'enfant:	activité physique	4.0	-46.7
Activité de la mère:	loisirs	4.6	-77.0
Mode: INTERACTION		9.6	-32.1

Analyse factorielle des correspondances

Les résultats de l'analyse de correspondances s'expriment en termes de coordonnées (position de la variable sur l'axe) et de contribution (poids de la variable en fonction de sa différence par rapport aux autres variables). Si la contribution d'une variable est équivalente ou supérieure à 2.00, elle est considérée comme valable à la création de l'axe (Benzecri, 1973). Les variables de même nature situées aux extrémités d'un axe sont considérées comme ayant une plus grande force discriminante et l'axe doit être nommé à partir de ces variables. L'analyse de correspondances a abouti à l'identification de six (6) axes. Les axes identifiés en premier (en termes de leur rang de création) ont des contributions plus importantes et de ce fait, sont plus faciles à interpréter. Benzecri (1973) suggère de s'appuyer sur la force des théories en présence pour décider du nombre d'axes à retenir. Vu la nature exploratoire de la présente étude, il nous a semblé plus prudent de ne conserver que les deux premiers axes.

Axe I: Les modes de satisfaction maternelle

L'axe I (Tableau 2) se structure à partir de l'opposition de deux modes de comportements, soit le mode "constatation" et le mode "interaction". Ces deux modes de comportements maternels se démarquent fortement: l'un est passif, l'autre est actif. Ainsi, les mères présentant un mode de satisfaction maternelle basé sur la constatation tirent en plus grand

TABLEAU 3

Analyse factorielle des correspondances,
Axe II: structure familiale

Nom de la variable	Contribution	Coordonnée
Contexte: soin	5.1	74.2
Socio-démographique: NOMBRE ENFANT = 1	3.1	61.1
Contexte: soirée	2.7	111.5
Socio-démographique: ENFANT JEUNE	2.6	49.4
Activité de l'enfant: affectivité non-verbale	2.3	52.5
Activité de la mère: affectivité non-verbale	2.3	44.3
Activité de la mère: promotion développementale	2.3	50.6
Mode: observation	2.1	22.2
Contexte: étapes développementales	2.0	103.6
Socio-démographique: fille	2.2	-45.6
Socio-démographique: RANG = 3	3.5	-117.0
Activité de la mère: travail de maison	4.2	-64.8
Socio-démographique: NOMBRE ENFANTS = 3	4.9	-118.0
Socio-démographique: ENFANT PLUS AGE	5.2	-69.2
Activité de l'enfant: travail de maison	6.0	-61.3
Caractéristique: état	8.3	-43.8
Mode: constatation	12.6	-59.7

nombre du plaisir à parler des caractéristiques de leur enfant en termes "d'état" (la manière d'être de l'enfant) et de "changements" (l'évolution de l'enfant); elles réfèrent davantage aux épisodes d'observation de leurs enfants comme à des instants de grande satisfaction et elles font davantage référence au contexte (étapes développementales: souvenirs reliés à l'enfant) . Finalement, elles parlent plus des activités de l'enfant que de leurs activités propres et se réfèrent davantage au développement de l'enfant comme source de bonheur.

A l'opposé, le style maternel se rapportant au mode interaction montre des mères qui partageraient avec leur enfant des activités reliées aux domaines des "loisirs" et du "travail de maison". L'activité préférée de ces mères serait le "jeu" et elles parleraient davantage de leur enfant en termes "d'activité physique".

Axe II: la structure familiale

Le Tableau 3 présente l'ensemble des variables composant l'Axe II, appelé "structure familiale". Cet axe se nomme ainsi car on y remarque la présence de deux variables socio-démographiques qui s'imposent dans les vecteurs: le nombre d'enfants et l'âge de l'enfant-cible. Ainsi , partant de l'extrémité supérieure (Tableau 3), la variable "nombre d'enfants = 1" s'oppose à sa contre-partie "nombre d'enfants = 3" à l'autre extrémité sur la partie négative de l'axe. Il en est de même pour la variable "enfant jeune" apparaissant en quatrième position sur l'axe positif et qui se démarque d'"enfant plus âgé" également en quatrième position, mais sur la partie négative de l'axe.

La portion positive de l'Axe II relèverait d'une structure propre à de "jeunes familles"; l'enfant y est unique et plutôt jeune (moins de deux ans). Les mères y réfèrent plus volontiers aux contextes de "soins" et aux "étapes développementales"; par ailleurs, dans le cas des mères d'enfant unique travaillant davantage à l'extérieur, la "soirée" devient pour elles le moment privilégié à partager avec leur enfant. De plus, les mères de tout jeunes enfants tirent davantage plaisir à les observer et à offrir des activités reliées à la "promotion de leur développement". Finalement, ces mères associent leur bonheur à des démonstrations "d'affectivité non-verbale" (manifestations gestuelles d'affection).

Le vecteur négatif de l'Axe II réfèrent à des familles plus "vieilles"; l'enfant y est plus âgé, le nombre d'enfants passerait à trois et le rang de l'enfant-cible dans la famille tendégalement à se rapprocher de trois. Les moments heureux vécus par ces mères sont associés à des interactions plus passives: le mode "constatation" y est plus présent de même que les mentions se rapportant à "l'état" (la manière d'être) de l'enfant. Ces mères réfèrent davantage au partage du "travail de maison" avec leur enfant comme source de gratifications. Les filles, comme l'indique la présence de ce facteur au vecteur négatif de l'axe II, seraient plus intimement associées à ce type de gratifications.

Liens corrélationnels entre variables socio-démographiques et variables critères

Les deux axes retenus des analyses de correspondances ne font pas état des liens entre certaines caractéristiques socio-démographiques, comme par exemple la scolarité de la mère ou son statut concernant le travail à l'extérieur de la maison, et les variables critères. Comme ces caractéristiques nous étaient apparues théoriquement fortes au point de départ, il nous a semblé opportun de vérifier l'état de ces liens en empruntant à une stratégie de corrélations simples (rhô de Spearman) basées sur les fréquences de mentions brutes. Seuls, les résultats significatifs sont rapportés dans les paragraphes suivants; certains sont redondants et confirment la validité des axes identifiés antérieurement; d'autres apportent de l'information complémentaire.

Age de l'enfant

Plus l'enfant est âgé, moins les mères ont tendance à référer à des épisodes d'observations comme moments de gratification(-0.1940, p< 0.044); par contre, elles ont plus tendance à mentionner "le travail de maison" comme étant une activité plaisante à partager avec leur enfant (0.3702, p<0001), ainsi que les "jeux" (0.2171, p<.024). À mesure que l'enfant vieillit, la mère parle moins des "soins" en termes de moments heureux (-0.3718, $p<.0001$) et elles réfèrent moins aux “changements” observés chez leur enfant (-0.2696, $p<.004$); les mères ont alors plus tendance à se rapporter à certaines activités spécifiques de leur enfant: travail de maison (0.3833, $p<.0001$), activités physiques (0.2386, $p < 0.01$), loisirs (0.2026, $p < 0.035$).

Nombre d'enfants Plus nombreux sont les enfants, moins les mères mentionnent “l'activité physique” comme instant privilégié (-0.2664, $p<.005$). De même, elles sont moins portées à retracer les activités de l'enfant témoignant de son évolution développementale (-0.2276, $p > 0.017$).

Rang de l'enfant-cible Plus le “rang” de l'enfant-cible (choisi par la mère en début de rencontre) est élevé, moins la mère rapporte de moments heureux attribués à des séquences “interactives” (-0.1934, $p < 0.043$) et moins elle fait référence à son évolution développementale (-0.2109, $p < 0.028$).

Scolarité de la mère Plus la mère est scolarisée, plus elle tire plaisir à “constater” les changements ou états de son enfant (0.1915, $p < 0.049$) et à s'impliquer dans les séquences de “soins” nécessaires au bien-être des tout petits (0.1874, $p < 0.054$). Par contre, ces mères montrent un moins grand contentement à partager des activités physiques (-0.2130, $p < 0.028$) avec leur enfant.

DISCUSSION

Comme nos résultats l'indiquent, la vaste majorité des mères a déclaré vivre une grande variété de moments heureux dans l'exercice du rôle maternel. Ces résultats vont dans le sens des recherches qui montrent que, de manière générale, les mères sont satisfaites de leur statut parental (Chilman, 1979; Mullis et Mullis, 1982; Meredith, Cacioppo, Stinnett, 1984) au point de choisir le même scénario, si c'était à refaire (Goetting, 1986). L'étude de Véroff et al. (1981) atteste la prévalence et l'intensité de la satisfaction parentale dans la société américaine contemporaine même si, par ailleurs, on sait que l'arrivée d'un premier enfant peut entraîner des difficultés de fonctionnement chez plusieurs couples (Rollins et Galligan, 1978). Ceci explique peut-être la facilité de la presque totalité des mères (97%) à fournir des listes de moments heureux (10 en moyenne) d'une grande diversité et d'une abondance nouvelle dans la littérature.

En effet, les recherches avaient jusqu'à maintenant fait état de catégories très larges de la satisfaction maternelle; on référait, par exemple, à la gratification liée à la relation parent-enfant et au sentiment d'accomplissement et de plénitude engendré par la présence d'un enfant à soi (Gurin, Veroff, Feld, 1960; Beckman, 1978; Chilman, 1980; Hoffman,

1978; Smith-Russel, 1974). En demandant aux mères de traduire leur satisfaction maternelle en termes de "moments heureux" vécus avec l'enfant ou à son propos, notre étude permet la mise à jour d'un inventaire à la fois plus vaste et plus spécifique des éléments reliés au bonheur maternel; ces éléments classifiés en fonction des contextes, des modes et des activités auxquelles les mères recourent dans un discours libre à propos de leur contentement permettent de mieux saisir l'univers des renforçateurs intrinsèques au rôle de mère.

Les modes de gratification, en particulier, présentent un intérêt nouveau. Dans une entrevue semi-structurée, ce sont les mères elles-mêmes qui ont indiqué l'univers des modes possibles . Elles nous font découvrir que, même si l'interaction se présente comme la façon la plus évidente d'éprouver du plaisir avec l'enfant, les constats que l'on fait de ses prouesses ou de ses progrès, les observations que l'on enregistre de ses comportements, et à un moindre niveau, les conversations que l'on tient à propos de son enfant et les images que l'on en retient sont autant de manières de se réconforter, de s'encourager, de se faire plaisir et de maintenir son implication dans un rôle qui n'est pas toujours facile.

Ceci nous fait dire que les interventions cliniques visant à une amélioration de la relation entre parents et enfants pourraient inclure des activités favorisant un retrait de la situation, une réactivation des images positives et des souvenirs heureux, et des exercices propres à développer la capacité de noter, mais à distance, les aspects positifs de l'enfant . Une perception positive de l'enfant par la mère faciliterait une plus grande implication et une meilleure gestion des attributions et des comportements maternels (Wahler et Dumas, 1989). C'est l'ensemble de ces trois ou quatre modes de satisfaction (par interaction, observation, constatation et représentation) qui permet, selon l'expression de Bronfenbrenner (1979), l'établissement d'une dyade primaire, c'est-à-dire, d'une dyade où l'attachement entre les personnes est profond, durable et réciproque.

Si , par ailleurs, l'interaction dans le jeu et les activités physiques demeure, selon ce que nous en disent les mères, le mode privilégié de la satisfaction maternelle, cette source de bonheur ne pourrait être plausible qu'à partir l'intérêt, de l'implication et de la disponibilité de la mère. Comme on a pu le constater, cette disponibilité paraît plus évidente au moment du réveil, du coucher, des soins et des moments de loisirs que l'on se réserve avec l'enfant. Sous cet angle, l'aménagement des horaires entre la vie familiale et le travail et la protection de plages horaires où enfant et parent peuvent se rencontrer devraient préoccuper intervenants cliniques et sociaux qui s'intéressent à la qualité du rôle maternel.

D'autre part, on s'attendait, se basant en cela sur les travaux de Beckman (1978) d'Hoffman et Manis (1978, 1979), à ce que l'expression verbale de l'affectivité , qu'elle soit dirigée directement vers l'enfant ou à partir de l'enfant ("je t'aime, mon petit lapin") ou qu'elle le concerne indirectement (confier à un tiers jusqu'à quel point on aime son enfant) soit évoquée plus fréquemment par les mères. Ce ne fut pas le cas. Si les mères sont impliquées dans ce type d'interaction, elles ne les identifient que très rarement comme source de plaisir. Il se pourrait que, placées devant une liste où de tels items seraient présents, elles reconnaissent ces moments comme privilégiés et gratifiants; mais, dans le contexte où elles devaient non pas reconnaître mais générer des réponses, les mères sont demeurées quasi muettes à cet égard. Il est possible que ce soit là l'expression d'une gêne ou d'une pudeur à révéler des moments particulièrements intimes, ou encore, que ce soit le reflet d'une culture où la parole n'est pas un matériel de communication riche à évoquer. A l'inverse, il se pourrait aussi que les mères ne fassent pas référence à ce qu'elles perçoivent comme banal, allant de soi, et donc, non pertinent dans le cadre d'une recherche; cependant, cette dernière hypothèse semble la moins forte, vue l'identification de la forme non-verbale d'affectivité par un assez grand nombre de mères. Les intervenants cliniques ou communautaires auraient sans doute intérêt à investiguer cet aspect de la relation entre le parent et l'enfant (et entre le parent et son entourage à propos de son enfant). Ils pourraient diriger l'attention des mères vers tous ces nombreux instants où elles expriment leur amour à l'enfant (ou à son sujet) et qui sont sans doute accompagnés d'une grande satisfaction. Délestés de cette dimension gratifiante dans le processus attentionnel ou mnémonique, ces moments perdent peut-être leur valeur de consolidation et de soutien au rôle maternel ce qui amènerait les mères à en faire, en retour, un moins grand usage.

L'analyse des correspondances a permis de mettre à jour deux grands axes quant aux regroupements que l'on peut identifier parmi toutes les variables considérées dans l'étude. Le premier axe confirme l'existence d'au moins deux styles de mères, en ce qui a trait à leur façon de tirer plaisir de leur rôle: le style actif et le style passif.Les mères répondant à ce dernier style réfèrent davantage aux observations et constatations qu'elles font quant aux caractéristiques de leur enfant ou quant aux changements développementaux. En général, ces mères ont moins d'enfants qui sont plus jeunes; de fait, plusieurs de ces mères n'ont qu'un seul enfant. Ces mères découvrent le fascinant processus du développement de l'enfant à partir de cette nouvelle expérience et semblent s'en émerveiller. Elles sont également plus scolarisées et pourraient avoir gardé de leur formation académique le goût ou l'habileté d'analyser leur expérience de vie. Elles réfèrent moins à l'action et mentionnent moins l'activité physique en référence aux moments heureux partagé avec l'enfant. Mais ici, on ne peut ignorer l'âge des enfants: il s'agit en effet d'un groupe de mères de jeunes enfants.

L'enfant grandissant , la mère peut alors l'inviter ou être amenée à partager certaines activités. Ceci est particulièrement vrai, s'il s'agit du premier-né. Gareau (1988), interrogeant les mères sur leurs contributions au développement de leur enfant, montre également que “plus l'enfant-cible se rapproche du premier rang dans la fratrie, plus les mères rapportent” partager des activités avec lui. Nos données indiquent que les mères moins scolarisées ont plus tendance à emprunter à ce style de gratification; les jeux avec l'enfant, le travail de maison et les échanges d'affectivité non-verbale occupent une place de choix dans leur univers.

Ce premier axe des correspondances nous aura permis de constater comme Langenbrunner (1986) que "les moments où les parents paraissent apprécier le plus leur rôle sont ceux où ils interagissent de quelques façons avec leurs enfants ou lorsqu'ils sont témoins des réalisations accomplies par leurs enfants sur les plans physique, social, affectif ou intellectuel". Ces deux composantes de l'observation et de l'interaction se présentent séquentiellement dans le temps et suivent la trame développementale de l'enfant. Comme nos résultats corrélationnels l'indiquent, plus les enfants grandissent, plus les mères réfèrent aux activités interactives comme moment heureux. Bref, le style passif serait à la fois tributaire de l'âge de l'enfant, de sa présence nouvelle et unique et du niveau de scolarité de la mère.

Le deuxième axe vient renforcer les observations faites à propos du premier. On y constate que la structure familiale joue un rôle très important dans l'identification d'un répertoire de satisfactions maternelles. Ainsi, on voit que les mères de familles nombreuses réfèrent davantage au contexte de la maisonnée, et en particulier au travail de maison; ce sont par ailleurs surtout des filles que l'on retrouve dans ce contexte et elles ne sont plus des poupons. Contrairement aux familles d'enfants plus jeunes, les références aux soins comme moments de plaisir ou aux expressions non-verbales d'affectivité s'y font plus rares. Les données corrélationnelles nous indiquent par ailleurs que le nombre d'enfant et le rang de l'enfant-cible peuvent avoir un impact important: on tire moins plaisir des interactions avec le dernier-né, et on est moins porté à retracer les étapes de son développement. Cette fois, il semble que ce soit plus la trame développementale de la mère qui vienne caractériser cet axe. Avec le temps, après le ou les premiers enfants, le retour au travail ou le début d'une autre carrière risquent d'occuper davantage l'agenda et de laisser moins de place à l'observation et à l'interaction.

De façon générale , cette étude aura donc permis de constater que la façon de tirer de la satisfaction du rôle maternel n'est pas indépendante d'un contexte forgé à la fois par les besoins développementaux de l'enfant et de la mère, par la structure de la famille et par le groupe socio-culturel d'appartenance. A un niveau psycho-sociologique, il se pourrait qu'une telle nomenclature dérivée du discours des mères elles-mêmes révèle la présence de fondements écologico-culturels (Laosa, 1978; Ogbu, 1981), sans lesquels il devient impossible de mesurer le bonheur ressenti par les mères sans tenir compte du contexte et des tâches culturelles qui leur sont assignées. Par exemple, il est clair qu'être mère de nombreux enfants ou d'un enfant unique a des incidences particulières sur les types de gratifications dérivées des interactions avec un enfant. Il en va de même en ce qui a trait à l'âge de l'enfant, à la scolarisation de la mère, mais, sans doute aussi, à son âge et à son occupation. Et c'est là que nous touchons à une limite importante de l'étude.

L'échantillon des mères impliquées dans notre enquête ne comptait pas de familles monoparentales; nous n'avions également pas accès à suffisamment de diversité, en ce qui a trait au statut occupationnel des mères non plus qu'à des informations détaillées concernant le travail des femmes: nombre d'heures, revenus, satisfaction, tensions travail-maison. Ces dimensions nous apparaissent maintenant essentielles pour qui voudrait pousser plus loin et enrichir la compréhension des satisfactions liées au rôle maternel. De même, notre échantillon ne comprenait que des femmes de race blanche et de souche québécoise; une comparaison de groupes culturels nous apparaît désormais nécessaire à l'analyse des sources de gratification maternelle. De plus, des informations de niveau ontosystémiques (caractéristiques individuelles de l'enfant, de la mère) et microsystémiques (fonctionnement du couple, de la famille) viendraient ajouter des informations pertinentes à l'étude des styles et de l'ampleur de la gratification maternelle.

Malgré ces limites inhérentes à l'exploration d'un domaine, le développement d'une première taxonomie des bonheurs de la vie maternelle aura permis de mettre à jour un inventaire des modes, des contextes et des activités qui leur sont reliés. De plus, la question même posée aux mères leur aura donnée l'occasion de réfléchir aux aspects réconfortants de leur rôle. A ce titre, l'étude s'inscrit d'emblée dans une approche promotionnelle du rôle parental et constitue en soi une intervention qui pourrait inspirer les intervenants soucieux de se démarquer d'une approche fondée sur le malfonctionnement, le déficit ou la pathologie.❖

Remerciements

Les auteurs désirent remercier les intervenants du C.L.S.C. Sainte-Rose de Laval.

The purpose of this study is to draw a portrait of the "happy moments" that may occur within a mother-child relationship. How these moments are affected by sociodemographic variable is also verified. 108 mothers with children aged 0-5 years participated in this study (families were bi-parental). Results indicate that maternal satisfaction is linked to various elements including: number of children in the family , the child's rank, his age and mother's educational level.

Références

Beckman L. The relative rewards and costs of parenthood and employment for employed women. **Psychol Women Q** 1978;2:215-234.

Beckman L, Houser BB. Perceived satisfaction and costs of motherhood and employment among married women. **J Popul** 1979;2:306-327.

Benzecri JP. **L'analyse des correspondances: introduction, théorie, applications diverses, notamment à l'analyse des questionnaires, programmes de calcul.** Paris: Dunod, 1973.

Bouchard C, Gareau D. Conduites maternelles pro-développementales: autodescription et variations socio-démographiques. **Apprentissage Civilisation** 1990;13:161-173.

Bronfenbrenner U. **The ecology of human development: experiments by nature and design.** Cambridge, Mass: Harvard University Press, 1979.

Campbell A, Converse PE, Rodgers WL. **The quality of life.** New York: Russell Sage Foundation, 1976.

Chilman CS. Parent satisfaction-dissatisfaction and their correlates. **Soc Service Rev** 1979;53:195-213.

Chilman CS. Parent satisfactions, concerns and goals for the children. **Fam Relat** 1980;29:339-345.

Gareau D. **Inventaire et typologie des conduites pro-développementales rapportées par des mères d'enfants de 0 à 5 ans: analyse selon neuf variables socio-démographiques.** [Mémoire de maîtrise en psychologie]. Montréal: Université du Québec, 1988.

Goetting A. Parental satisfaction: a review of research. **J Fam Issues** 1986;7:83-109.

Gurin GJ, Veroff J, Feld S. **Americans view their mental health.** New-York: Basic Books, 1960.

Hobbs D. Transition to parenthood: a replication and an extension. **J Marriage Fam** 1968;30:413-417.

Hoffman LW, Manis JD. Influences of children on marital and parental satisfactions and dissatisfactions. In: Lerner RM, Spanier GB. Eds. **Child influences on marital and family interaction.** New York: Academic Press, 1978:165-213.

Hoffman LW, Manis JD. The value of children in the United States: a new approach to the study of fertility. **J Marriage Fam** 1979;41:583-596.

Langenbrunner MR. **Sources of satisfactions and dissatisfactions with parenting: a phenomenological study**. [University of Tennessee]. Ann Arbor: University Microfilm International, 1986.

Laosa LM. Maternal teaching strategies in Chicago families of varied educational and socio-economic levels. **Child Dev** 1978;49:1129-1135.

Le Master EE. Parenthood as crisis. **Marriage Fam Living** 1957;19:352-355.

Mancini JA. **Social indicators of family life satisfaction: a comparaison of husbands and wives.** (Paper presented at the Annual Meeting of the National Council on Family Relations). Philadelphia, 1978;19-22.

Marini MM. Effects of the number and spacing of children on marital and parental satisfaction. **Demography** 1980;17:225-242.

Meredith WH, Cacioppo BF, Stinnett N. Satisfaction with parenting. **Fam Perspec** 1984;18:33-36.

Mullis AK, Mullis RL. **Satisfaction of parenting.** (Paper presented at the Annual Meeting of the National Council on Family Relations). Washington, 1982:13-16.

Nye FI, Carlson J, Garrett G. Family size, interaction, affect and stress. **J Marriage Fam** 1970;32:216-222.

Ogbu JU. Origins of human competence: a cultural-ecological perspective. **Child Dev** 1981;52:413-429.

Pasley K, Gecas V. Stresses and satisfactions of the parental role. **Pers Guid J** 1984;62:400-404.

Rollins BC, Galligan R. The developping child and marital satisfaction of parents. In: Lerner RM, Spanier GB. Eds. **Child influences on marital and family interaction.** New York: Academic Press, 1978:71-105.

Smith-Russel C. Transition to parenthood: problems and gratifications. **J Marriage Fam** 1974;36:294-301.

Townes BD, Beach LR, Campbell FL, Martin DC. Birth planning values and decisions: the prediction of fertility. **J Appl Soc Psychol** 1977;7:73-88.

Veroff J, Douvan E, Kulka RA. **The inner american: a self-portrait from 1957 to 1976.** New York, Basic Books, 1981.

Wahler R, Dumas JE. Attentional problems in dysfunctional mother-child interaction: an interbehavioral model. **Psychol Bull** 1989;105:116-130.

Winkelstein E. Day care/family interaction and parental satisfaction. **Child Care Q** 1981;10:334-340.

Note de lecture

Les pathologies limites de l'enfance. Roger Misès. Le fil rouge, Paris: P.U.F. 1990. Ce dernier livre de Roger Misès apparaît comme un moment particulier d'une longue trajectoire et l'aboutissement d'une recherche soutenue pendant plus d'une trentaine d'années. Il témoigne surtout de son intérêt passionné pour les domaines de la psychopathologie, du fonctionnement psychique et du développement de l'enfant, intérêt qui nous a donné, outre celui-ci, des travaux et des publications si importants touchant les états les plus graves: les dysharmonies évolutives,[1] les psychoses de l'enfant,[2] les psychopathies,[3] la déficience mentale[4].

Partant de son orientation psychanalytique, de sa longue pratique de l'analyse et de sa grande expérience de la psychiatrie infantile, le Dr Misès aborde ce concept avec prudence, se montrant soucieux de bien préciser la sémiologie et de délimiter les caractères distinctifs de ces «pathologies limites». Ceci est important afin d'éviter que cette entité devienne à la longue le fourre-tout des pathologies difficiles qui posent un problème de diagnostic, comme on peut déjà le constater dans les publications américaines. Ce diagnostic exige du clinicien beaucoup d'attention, d'observation et de perspicacité dans l'évaluation de ces enfants et de leur environnement, (particularités des symptômes, tant dans leurs relations que dans leur anamnèse et leur développement) pour bien percevoir les éléments possibles de reprise et élaborer une politique de soins qui soit adéquate et efficace pour eux. Les dispositifs institutionnels de soins (supports institutionnels de la cure), on pourra s'en rendre compte à la lecture, sont considérables (hôpital de jour, hôpital de jour à temps partiel, équipe multidisciplinaire) et demandent un personnel extrêmement bien formé, capable de remédier par des moyens appropriés à des situations chaotiques d'apparence et d'en repérer le sens dynamique et les aspects positifs pouvant favoriser une évolution structurale mutative. Celle-ci ne peut s'instaurer et se maintenir sans une attitude constante et cohérente de l'équipe. Voilà la ligne directrice que nous transmet ce livre bien présenté, écrit dans une langue claire et concise, qui utilise des concepts à la portée de tous, mais fort bien articulés pour une compréhension dynamique de la cure de ces enfants.

Le volume comprend une première partie plus théorique où l'auteur démarque la place des pathologies limites; qu'il appelle «pathologies» plutôt qu'états pour sauvegarder et respecter la spécificité de l'enfant, sujet en plein devenir qui, à cause de cette caractéristique, présente des éléments distinctifs dont il faut toujours tenir compte. Il trace un tableau des différentes formes de pathologies limites constituant le troisième axe entre la psychose et la névrose. J'ai l'impression que bon nombre de pathologies que l'on regroupe souvent sous le diagnostic de prépsychose et de parapsychose entreraient dans cette entité. Il n'est pas possible dans le cadre de cette note de répertorier toutes les formes de cas atypiques que le Dr Misès veut inclure et étudier. Cependant, le concept de dysharmonie d'évolution qu'il a aidé à préciser, lui sert ici de support pour cerner une grande partie de ces pathologies limites. À côté des dysharmonies évolutives à versant psychotique et celles à versant névrotique, il décrit une troisième catégorie, celles de type pathologie limite. Enfin, toutes ces formes utilisent, comme chez l'adulte, des mécanismes archaïques de fonctionnement psychique: clivage, déni, identification projective, etc... auxquels ces sujets sont restés fixés et qui révèlent des failles de l'entourage dans ses fonctions de contenance et d'étayage, au cours des premiers moments de leur existence.

Un autre chapitre concerne «les risques évolutifs» de ces pathologies. Il est remarquable, comme le souligne le Dr Misès, que ces sujets, contrairement à ce que l'on pourrait penser, évoluent rarement vers des pathologies psychotiques franches. Ils seront autrement fragilisés lors de la traversée de la puberté et de l'adolescence qui agissent comme un traumatisme, laissant ces individus démunis, incapables de mobiliser leurs ressources. Dans l'histoire de certains schizophrènes adultes qui ont été parfois considérés comme des enfants «sages et sans histoire» avant d'entrer à l'adolescence dans une forme évidente de la maladie, on retrouve en réalité, si on regarde leurs antécédents de plus près, des signes significatifs qui relèvent des formes latentes de pathologies limites.

Dans un troisième chapitre bien construit, l'auteur développe, à l'aide d'un cas très documenté, l'importance, les enjeux et l'orientation des supports institutionnels tels que l'hôpital de jour sous sa forme habituelle avec présence quotidienne de l'enfant, hôpital de jour à temps partiel (AJTP). Le traitement d'orientation psychothérapeutique de ces enfants s'appuie sur une réflexion psychanalytique et aussi sur des apports éducatifs, pédagogiques, rééducatifs, donc sur un travail multidimensionnel. L'approche et le suivi de ces enfants posent des problèmes énormes, l'abord des parents est difficile; tout cela exige de l'équipe disponibilité et continuité; les mutations structurales recherchées mobilisent des résistances qui peuvent, si la vigilance est relachée, entraîner une rupture. La psychothérapie individuelle y trouve sa place en temps opportun. " Dans toutes ces éventualités, nous rappelle le Dr Misès, l'essentiel réside dans le fait que les moyens mis en oeuvre, même appliqués à l'enfant de façon intermittente, lui guarantissent une continuité dans l'étayage et l'élaboration du processus, à condition d'assurer vigilance, disponibilité, souplesse dans des interventions qui, débordant le sujet, incluent la famille, l'école, le cadre social."

L'auteur complète son volume par la présentation de deux observations cliniques illustrant de façon détaillée toute la complexité du traitement de ces sujets, les pièges et les difficultés dans la mise en place d'actions curatives adéquates. Celles-ci devront se poursuivre pendant une période assez longue, pour que des remaniements suffisants puissent s'effectuer et qu'une mobilité du fonctionnement psychique puissent être retrouvée. Le lecteur constatera, en suivant le pas à pas de ces cures, la nécessité pour l'équipe soignante de se remettre continuellement en question dans ses interventions. Mais ce travail exige des capacités peu communes d'anticipation et de contenance, pour relever les éléments positifs dans les agirs de ces enfants et de leurs parents, en percevoir rapidement le sens et maintenir ainsi le cap selon une orientation thérapeutique constructive.

Par son style concis, sa compréhension claire et cohérente, son abord simple mais profond, ce livre nous captive. Il est donc propre à susciter beaucoup de réflexions et d'idées de recherche et à revaloriser le traitement de ces enfants. Les pédo-psychiatres, les psychologues et les travailleurs sociaux oeuvrant dans le domaine de l'enfance y trouveront un éclairage nouveau et un guide précieux dans leurs activités cliniques.

Jean **BOSSÉ**
psychanalyste,pédopsychiatre

1 Misès R. et Barande I., Les états déficitaires dysharmoniques graves, **La Psychiatrie de l'enfant** 1963; 6:1-78.

2 Misès R.et Moniot M., Les psychoses de l'enfance, **Encyclopédie médico-chirurgicale, Psychiatrie**, 1979,37299 n. 10.

3 Misès R. **Cinq études de psychopathologie de l'enfant**, (domaines de la psychiatrie), Toulouse: Privat, 1981.

4 Misès R., **L'enfant déficient mental: approches dynamiques.** (Le fil rouge). Paris: P.U.F. 1975.

1991 **Les lignes de la main ou la révélation de la trisomie 21** (20 minutes)
J. Roy, F. Molenat, C. Maurin
Deux couples parlent de leur enfant (2 mois, 2 ans) porteur d'une trisomie 21. Ils décrivent leurs propres sentiments de la manière dont ils ont ressenti l'annonce de l'anomalie chromosomique par l'équipe médicale. Des soignants concernés par cette situation évoquent leurs propres émotions face à la découverte d'un handicap et la réflexion qu'ils mènent pour mieux entourer l'enfant et ses parents.

1991 **Interruption tardive de grossesse pour malformation foetale: une histoire d'amour** (27 minutes)
F. Molenat, C. Maurin
Huit mois après avoir subi une interruption tardive de grossesse (au sixième mois) pour une grave malformation foetale, une jeune femme témoigne de la nécessité d'un accompagnement attentif et permanent de la part de l'équipe médicale. Elle évoque également le temps nécessaire pour retrouver sa place de mère et de femme. Le respect et l'attention dont elle a pu bénéficier lui permettent de garder de cet épisode douloureux un "bon souvenir".

1990 **Un bébé sans ombilic: l'accueil anténatal d'un enfant porteur d'une malformation** (24 minutes)
J. Roy, F. Molenat, C. Maurin
A l'occasion de la découverte tardive d'une malformation de la paroi abdominale d'un foetus, des parents et des médecins se questionnent sur la conduite à tenir. Ce document relate leur cheminement au fur et à mesure que se précise le diagnostic. Il souligne la qualité de la réflexion des médecins et des parents autour des questions suivantes: l'appréciation de la "valeur" d'un enfant, la décision de poursuivre la grossesse,

l'accompagnement technique et relationnel des parents.

1990 **Compétences du nouveau-né, compétences des parents** (21 minutes)
F. Molenat, C. Maurin (avec G. Jéliu, professeur de pédiatrie à l'Université de Montréal)
L'évaluation comportementale du nouveau-né proposée par Brazelton constitue, surtout dans les situations de vulnérabilité particulière, un extraordinaire outil de prévention qui passe par le soutien précoce des capacités du nouveau-né et des capacités des parents. Le Dr Jéliu décrit cette approche et "l'état d'esprit" qui s'y rattache.

1988 **Un enfant qui n'a pas pu vivre** (30 minutes)
F. Molenat, C. Maurin (coll. scientifique J. Roy)
Ce document met en évidence le rôle prépondérant des équipes médicales confrontées à la mort périnatale. Face à la détresse qui surgit, des profes-sionnels s'interrogent sur leur propre implication, la maîtrise à acquérir. Des parents témoignent et soulignent l'importance de ce qui peut être puisé dans l'entourage, en particulier médical. Sont également évoquées l'angoisse qui surgit lors d'une grossesse ultérieure et la sécurité psychologique que peut apporter l'équipe soignante.

1987 **L'enfant et son handicap: des parents témoignent** (20 minutes)
F. Molenat, C. Maurin (coll. scientifique J. Roy)
Face au handicap d'un enfant, les professionnels de santé se sentent parfois impuissants voire inutiles. Pourtant, leur rôle est primordial. Ce film souligne l'importance du soutien et de l'accompagnement qu'ils peuvent apporter aux parents et à l'enfant dans ces situations chargées d'émotion. Trois histoires d'enfants, de handicap différent par la gravité, l'âge d'apparition et l'évolution sont évoquées par des parents qui décrivent le douloureux chemin qu'ils ont dû parcourir pour rencontrer leur enfant, mais témoignent également de sa qualité de vie malgré ses limites.

1987 **Révélation anténatale d'une malformation: une solitude à partager** (25 minutes)
F. Molenat, C. Maurin
A quatre mois et demi de grossesse, une femme s'entend confirmer le diagnostic anténatal par échographie d'une grave malformation chez son enfant. Ce document est une mise en parallèle de la souffrance de cette femme et de la souffrance des soignants à partir d'une atteinte de l'intégrité corporelle d'un enfant. Une histoire de solitude à plusieurs niveaux.

1986 **Devenir mère** (17 minutes)
F. Molenat, C. Maurin
Ce film met en relief l'importance du lien tissé par les équipes soignantes lorsqu'une femme dont le passé est émaillé de carences affectives et éducatives va à son tour être mère. Une jeune femme témoigne des difficultés rencontrées avec ses trois premiers enfants. A l'occasion d'une quatrième grossesse, un travail de soutien porte ses fruits. Le film souligne la nécessité d'un accompagnement prolongé pour que les capacités mises à jour chez la mère puissent continuer à se développer.

1986 **La mère aussi est une personne** (45 minutes)
F. Molenat, F. Rouleau
Ce film illustre un aspect de la collaboration entre une équipe obstétricale et une équipe pédopsychiatrique. Il s'inscrit dans une re- cherche sur la prévention des troubles du développement du jeune enfant et sur le rôle de l'environnement médical dans cette prévention. Des parents évoquent leur désarroi devant l'arrivée d'un enfant très vulnérable. Des mères racontent comment l'inquiétude, l'angoisse peuvent marquer les échanges, aggraver les difficultés. Les professionnels

s'interrogent et prennent conscience qu'aider une femme désemparée à rencontrer son enfant passe, entre autres, par leur propre capacité à rencontrer cette femme.

Le dur métier de frère (25 minutes)
Un garçon de neuf ans s'adapte lentement à la présence du nouveau-né de la famille. Cette adaptation passe par quatre grandes phases: un oiseau sur mon territoire, l'oiseau devient poupée, la poupée réagit et je m'en fais une soeur.

Les formes cliniques de la dépression du nourrisson (35 minutes)
La dépression du nourrisson est reconnue désormais comme pouvant avoir des conséquences précoces sur le développement de la vie psychique et sur la survenue de troubles fonctionnels ou de maladies psychosomatiques. Ce document scientifique à visée pédagogique tient compte des théories les plus récentes qui fondent la psychopathologie du bébé.

Nathalie est née, mais... (36 minutes)
Accoucher d'un enfant porteur d'une malformation: une expérience de solitude. Ce document se veut un déclencheur de réflexions et d'échanges favorisant une meilleure compréhension de la situation de crise dans le but de mieux préparer les membres de l'équipe de santé à aider les parents vivant ce genre de difficultés. On nous présente un montage de témoignages recueillis auprès des parents de Nathalie. Ce document est présenté en quatre parties (réaction des parents, isolement des parents, attitudes du personnel hospitalier, le support reçu) entrecoupées par les réflexions d'une infirmière.

Les premières pages du journal d'Isabelle (25 minutes)
Document qui nous démontre l'évolution systématique d'un bébé entre un mois et 12 mois. Film à la fois spectacle et scientifique. Spectacle car on y voit défiler tous les "gags" qu'un bébé peut faire dans sa première année et scientifique car on y retrouve toutes les phases classiques du développement: réflexes, coordination, actes volontaires, permanence de l'objet, imitation, etc..

Les aspects psychologiques de la néonatologie (30 minutes)
La néonatologie maîtrise désormais beaucoup mieux les techniques de réanimation et de survie. Dès lors, la prise en considération de ses dimensions psychologiques prend de l'importance: le confort du bébé en situation très particulière, le développement de ses compétences et de ses interactions, la prophylaxie de la douleur, la prise en compte des parents et de leurs inquiétudes, surtout quand le bébé va mal, la formation du personnel qui doit posséder désormais plusieurs compétences. C'est un film scientifique à visée pédagogique pour la formation des psychiatres, psychologues, pédiatres, puéricultrices et infirmières.

Bébé à bord (28 minutes)
Un bébé naît et tout change. Ce bébé nous fascine, nous émerveille, nous transforme de jour en jour et de fond en comble. C'est une période extraordinaire, très riche en découverte et en joie nouvelle. Cependant, comme toute période importante de changement, cette période d'adaptation a aussi des aspects plus difficiles. En parler c'est essentiel. Parlons donc de ce fameux "post-partum" ou moment de dépression post-natale, parlons donc de la vie sexuelle des parents, des tranformations de la libido chez la femme comme chez l'homme, parlons donc enfin de la relation de couple après la naissance. Comment s'adapte-t-il à un nouvel équilibre où le bébé est le centre de tout? Dans ce document vidéo, quelques jeunes mères nous parlent simplement et directement d'elles-mêmes et de leur couple suite à la naissance d'un enfant.

1991 **L'éprouvante éprouvette: fécondation in vitro** (39 minutes)
Désir d'enfant. Infertilité. Stérilité. Médicalisation de la procréation. Les différentes phases de la technique FIV.

suite page 136

CHRONIQUE DE LA RECHERCHE

SOCIALISATION DES ENFANTS DE RÉFUGIÉS

Les familles de réfugiés représentent un élément de plus en plus important de la population québécoise et elles vivent des situations spécifiques qui peuvent avoir des conséquences significatives sur le développement de leurs enfants. C'est pour étudier ces aspects de la socialisation de l'enfant que **Michel Tousignant**, du Laboratoire de Recherche en Ecologie Humaine et Sociale (LAREHS) du Département de Psychologie de l'Université du Québec à Montréal a constitué une équipe de recherche grâce à un fonds de recherche obtenu du Conseil de Recherche en Sciences humaines du Canada et à un fonds interne de son université d'attache.

Il est proposé, au cours de cette enquête, d'examiner divers facteurs ayant trait à la dynamique des familles de réfugiés et aux rapports entre celle-ci et d'autres institutions faisant partie de son écologie sociale, telles que la famille étendue, l'école, le monde du travail et la société québécoise. Le premier objectif est de vérifier si les familles qui demeurent fidèles à leur culture d'origine tout en intégrant des éléments signicatifs de la société québécoise parviennent à mieux socialiser leurs enfants que celles qui, ou bien conservent toutes leurs traditions ou bien, à l'autre extrême, s'assimilent rapidement. Il s'agit aussi d'évaluer à quel degré les différences d'attitudes intergénérationnelles ont des conséquences graves sur le développement des ressources personnelles et sociales de l'enfant.

Le deuxième objectif, par ailleurs, vise à analyser l'influence de facteurs précis reliés à l'histoire des familles réfugiées: soutien de la parenté, mobilité géographique, déclassification professionnelle des parents, isolement de la mère au foyer, vicissitudes de l'histoire scolaire, expériences et difficultés de vie au cours des trois années précédant l'enquête.

La collecte des données se fera auprès d'un échantillon de 250 adolescents, provenant tous de familles de réfugiés, et dont environ 80% habitent Montréal et 20% le reste du Québec. L'âge sera de 14 à 18 ans et les sujets seront choisis dans la population scolaire. Le séjour minimum au pays devra être de quatre années.

Certaines informations seront obtenues des parents. Les instruments, dont les entrevues semi-dirigées en particulier, sont ceux développés au Bedford College de Londres par George Brown et son équipe pour mesurer les dimensions suivantes:

- la qualité des soins parentaux,
- les événements et les difficultés de vie,

- le soutien social et l'estime de soi.

Cette méthode permettra d'éviter certains biais culturels en donnant l'opportunité aux sujets de bien définir leur pensée. Un questionnaire plus fermé investiguera l'histoire avant l'exil et les conditions de vie au Canada. Un instrument sera construit afin de mesurer les attitudes à l'égard de la société d'origine et de la société hôte.

Ce projet devrait fournir une aide précieuse aux éducateurs, aux communautés culturelles ainsi qu'à tous ceux qui s'intéressent aux réfugiés sur des aspects centraux de leur implantation au Canada. Il devrait aussi permettre de vérifier si le modèle de l'intégration est le plus efficace pour le bien-être de la vague de réfugiés en provenance principalement du Tiers-Monde.

Jean-François SAUCIER

psychiatre

suite de la page 134

Les embryons surnuméraires. Le don d'embryons. La congélation d'embryons. Les grossesses multiples et la réduction embryonnaire. Les limites de la FIV. Les risques de manipulation. L'avenir, la vie avec ou sans enfant. Catherine, Claude, Didier, Françoise, Laure, Lydie et Valérie ont vécu tous les aspects de réussite et d'échec de la FIV et parlent de leur expérience.

Jean-Pierre PÉPIN

psychiatre

Tous ces documents sont distribués par le
C.E.C.O.M.
7070, boulevard Perras
Montréal, Qué. H1E 1A4
Tél.: (514) 328-3503

suite de la page 4

Service de Pédopsychiatrie, Pavillon Albert-Prévost, Montréal

17 octobre 1991, 11h00
"Autisme: Définition et conceptions étiologiques actuelles"
Dr Jacques THIVIERGE, Québec
Salle d'Enseignement, C.H. Rivière-des-Prairies, Montréal
Pour information: Mme Bélisle, 323-7260, poste 2669

18 octobre 1991, 9h30 - 12h00
Carrefour scientifique: **"Etre enceinte en 1990: Etude longitudinale de 400 femmes québécoises"**
Dr Jean-François SAUCIER et Collaborateurs
Amphithéâtre J.-L.-Beaubien, Hôp. Ste-Justine, Montréal
Organisé par le Dépt de psychiatrie de l'Hôp. Ste-Justine
Pour information: Mme Marchand, 345-4695, p. 5701

8 novembre 1991
Colloque du 25e anniversaire du Service de psychiatrie de l'Enfance et de l'Adolescence de l'Hôpital Notre-Dame
"Narcissisme et Approches thérapeutiques: du comportement antisocial de l'enfant à la régression transférentielle grave de l'adulte"
Otto F. KERNBERG et Paulina F. KERNBERG, psychanalystes, New York
Château Champlain, Montréal
Pour information: Mme Légaré ou Mme Boivin au (514) 876-7254

8 novembre 1991
Colloque d'une journée organisé par l'Hôp. de Montréal pour Enfants
Step-Families: Current Concepts
Alberto SERRANO, Philadelphie
Geanne Timmins Amphitheatre, Montreal Neurological Institute,
Pour information: Ms. Vaupshas au 934-4449

21 novembre 1991, 11h00
Que deviennent les enfants de mères psychotiques?
Joan KEEFLER, t.s.p.
Service de Pédopsychiatrie, Pavillon Albert-Prévost , Montréal

21, 22 et 23 novembre 1991
Colloque international sur la famille organisé par le GIFRIC
(Groupe Interdisciplinaire Freudien de Recherche et d'INtervention Clinique et Culturelle)
"La Famille / Enjeux et impasses"
Représentants de divers horizons (psychanalyse, anthropologie, droit et sociologie)
Château Frontenac, Québec
Pour information: (418) 687-4350

22 novembre 1991, 9h30 - 12h00
Carrefour Scientifique: **"L'impact des enfants sur leurs parents"**
Anne-Marie AMBERT, psycho-sociologue, Université York, Toronto
Amphithéâtre J.-L.-Beaubien, Hôp. Ste-Justine, Montréal
Organisé par le Dépt de psychiatrie de l'Hôp. Ste-Justine
Pour information: Mme Marchand, 345-4695, p. 5701

Objectifs et champ d'intéret

P.R.I.S.M.E. vise la promotion de la théorie, de la recherche et de la pratique clinique en psychiatrie et en santé mentale de l'enfant et de l'adolescent, incluant toutes les disciplines afférentes, par la publication en langue française, de textes originaux portant sur le développement, sur ses troubles, sur la psychopathologie et sur les approches biopsychosociales déployées dans ce champ. L'apport grandissant de nombreuses disciplines connexes aux progrès réalisés en pédopsychiatrie et en psychologie du développement incite la revue à encourager les contributions des membres de ces diverses spécialités.

Chaque numéro comprend un dossier sur un thème d'intérêt regroupant des textes abordant divers aspects de la question. Il pourra être élaboré par l'équipe de rédaction ou par un groupe particulièrement intéressé à un sujet donné agissant à titre d'éditeur invité avec le support technique de l'équipe.

Les textes doivent présenter une qualité autorisant leur présentation à un public constitué d'intervenants, de cliniciens, d'enseignants, d'étudiants universitaires et de chercheurs. Ils pourront prendre l'une ou l'autre des formes suivantes:

Les articles originaux doivent apporter une contribution originale aux connaissances empiriques, à la compréhension théorique du sujet abordé ou au développement de la recherche clinique. Les revues de littérature passeront en revue un important champ d'intérêt en santé mentale de l'enfant et de l'adolescent ou des interventions spécialisées auprès des enfants et de leurs familles. Les présentations de cas couvriront des questions cliniques importantes ou innovatrices sur le plan du diagnostic, du traitement, de la méthodologie ou de l'approche. Les rapports de recherches présenteront de façon aussi concise que possible la recherche effectuée incluant des références et un minimun d'informations sous forme de tableaux et de figures. Le courrier des lecteurs est consacré aux discussions à partir de textes préalablement publiés dans la revue. Les auteurs auront droit de réponse. Des présentations d'intérêts faites dans le cadre de colloques ou journées d'études pourront être publiées. Les personnes ayant produit un document vidéo portant sur la santé mentale de l'enfant ou les domaines voisins sont invitées à faire parvenir une brève description. Les personnes engagées dans une activité de recherche en psychiatrie de l'enfant, en psychologie du développement et dans des disciplines connexes , sont invitées à communiquer à la revue un aperçu d'une recherche en cours ou récemment achevée.

Guide à l'intention des auteurs

Aux auteurs dont la langue maternelle est autre que le français, la rédaction offre un service de révision linguistique pour faciliter l'édition de leurs textes en français, sans pouvoir cependant traduire des textes entiers pour l'instant.
Le manuscrit doit être concis et rédigé en français dans un style compréhensible, dactylographié à double inhterlignes et ne pas excéder 10 pages. Les parties moins importantes du texte seront marquées.
Le manuscrit sera soumis anonymement à trois membres du comité de lecture pour arbitrage. Les détails de révision seront communiqués à l'auteur. L'auteur doit garder une copie de son manuscrit et envoyer trois exemplaires à la revue.

Les tableaux, figures et illustrations doivent être conçus de manière à être intelligibles avec emplacement dans le texte. Ils doivent être produits sur des pages séparées. Pour les références , vous référer aux références dans la revue. Si présenté sur traitement de texte (Word Perfect 5.0 ou 5.1 IBM; Word MacIntosh), pas de tabulation, pas de retour de chariot et ne pas faire de mise en pages. Introduction et revue de littérature, matériel et méthodologie, résultas et discussions : un sommaire de moins de 100 mots doit être fourni et traduit en anglais. Une brève note sur l'auteur permettant de connaître sa profession, son champ d'activité et ses intérêts est souhaitée.

La revue publiera le détail d'événements scientifiques à venir s'ils nous sont communiqués au moins trois mois avant la date de l'événement.

Pour information: Denise Marchand, tél.: (514) 345-4695 poste 5701

Aperçu du prochain numéro, hiver 1991, vol. 2 no 2

Cahier scientifique

Dossier: L'art et l'enfant

Sujets abordés:

- L'art musical et le développement de l'enfant
- L'analyse automatisée du dessin d'enfant
- Le développement de la résonance affective par l'écoute de berceuses
- La valeur de l'image: un miroir thérapeutique
- L'enfant au cinéma
- La thérapie par la danse
- Aspects initiatiques de trois contes pour enfants
- Créativité et art chez l'enfant

Avec la participation de Jean-Pierre Despins, Philippe Wallon, Sarah Lopez, Joséphine Quallenberg, Bernard Gébérowicz, Manon Dulude, Josiane Guttières, Michel Boulanger, Pierre Drapeau.

Thèmes des prochains numéros

- Interventions cliniques auprès d'adolescents
- L'enfant atteint de maladie chronique
- Situations de violence dans la vie de l'enfant
- L'enfant et l'école
- La rééducation en centre d'accueil
- Les thérapeutiques en psychiatrie de l'enfant
- Les enjeux dans le placement familial
- L'hyperactivité
- Les psychoses infantiles
- Approches transculturelles: les enfants autochtones

Bellini

P.R.I.S.M.E.
Service des publications
Hôpital Sainte-Justine
3175 chemin de la Côte Sainte-Catherine
Montréal, Québec,
H3T 1C5